D1638134

Le coeur de Priscilla

DU MEME AUTEUR

Vint un passant...
Toi, mon espoir.
L'Invitée du Destin.
Je te donne ma vie.
Le Repaire.

GEORGETTE PAUL

Le Coeur de Priscilla

PRESSES SÉLECT LTÉE
1555 Ouest, rue de Louvain
Montréal, Qué.

DÉPÔT LÉGAL:
Bibliothèque Nationale du Canada
Bibliothèque Nationale du Québec
1er Trimestre 1979

CHAPITRE PREMIER

C'était un bruit de pas furtifs. Un bruit qui cessait soudain, pour renaître presque aussitôt. On aurait dit un bruissement de feuilles sous le vent, ou le lent glissement d'un filet d'eau sur les parois dentelées d'un amas de pierres. Malgré lui, le duc Anthony de Torking hâta le rythme de sa marche. Quelqu'un le suivait ! Quelqu'un qui s'évertuait à ne pas éveiller le moindre écho dans cette rue où une demi-pénombre estompait les reliefs et les angles. La seule tache claire dans cette nuit sans lune était la chevelure blonde, d'un blond presque blanc, du duc Anthony de Torking. Son costume de velours sombre, sa cape de soirée noire, elle aussi, se confondaient avec la brume, avec les ténèbres appesanties sur Londres. Depuis longtemps déjà, l'horloge géante de Bucking avait scandé douze coups, annonçant que dans quelques heures une nouvelle aube allait poindre. Tout semblait dormir dans la ville... tout, hormis l'être mystérieux dont Torking percevait le souffle tantôt assourdi, tantôt plus précis et plus menaçant. Un rôdeur? Un mendiant? Ou alors un nomade ? Ils étaient plusieurs centaines, disséminés dans les bois de Moor et plus d'une fois ils avaient réussi à franchir les remparts qui protégeaient les habitants contre leurs incursions.

Brutalement, Anthony de Torking s'immobilisa. Il savait que, en dehors de sa vie, il n'avait rien à perdre. Sa bourse était vide. Son avenir, un immense point d'interrogation.

— Qui va là ?

A présent, rien ne bougeait plus nulle part. Dans le silence total, presque palpable, ce cri lancé par Torking avait pris des ampleurs de tonnerre. La main de Anthony se posa sur l'arme dont il ne se séparait que rarement, un peit poignard à la lame recourbée et porteuse de mort.

— Qui va là ?

Le sang, par rafales, arrivait à ses tempes. Depuis quand le suivait-on ? Depuis qu'il avait franchi le seuil de ce tripot de malheur, où la chance s'était refusée à lui ? Une soirée houleuse, humiliante. Le baron Daulnitz, ce lourdaud à face léonine, l'avait accusé de tricher ! Il y eut un échange de propos violents. Et, sans l'intervention de plusieurs témoins de la scène, l'incident aurait pu se terminer d'une façon dramatique pour Anthony. Mais Daulnitz, un coléreux, un arrogant, avait pour habitude d'agir ouvertement, en public. Il n'était pas de ceux qui frappent leur victime dans une ruelle déserte, où ne brille aucune lumière. Alors, qui ?

— My lord !

Il tressaillit. Il se retourna d'un élan vif. Une silhouette était apparue au bout de la rue. La silhouette... d'une femme. Elle avançait, fantastique, irréelle, encadrée par des nuées de brume mouvantes qu'elle semblait fendre de ses bras tendus.

— My lord !

Il ne recula pas. Les yeux fixés sur cette forme qui marchait vers lui, il attendait. La longue pèlerine qui dissimulait le corps de la femme, frôlait le sol et s'ornait d'un capuchon. Une nonne ? Une évadée de prison ? Une créature d'un autre monde ?

— My lord !

Cette voix gutturale, où donc Torking l'avait-il déjà entendue?

— Qui êtes-vous ?

Elle était près de lui. Mais il ne pouvait pas distinguer ses traits.

— Que me voulez-vous ?

Il luttait contre le malaise étrange qui lentement, inexorablement, s'emparait de lui. Ce n'était pas de la peur, mais quelque chose de plus trouble, d'indéfinissable. Une sorte de pressentiment, comme s'il devinait que sa vie, son destin tout entier allaient être bouleversés cette nuit même. Sa main se crispa sur son poignard. La femme vit-elle son geste ? D'un mouvement sec de la tête, elle rejeta en arrière le capuchon qui faisait d'elle un mystère et son visage surgit. Si blanc, dans la pénombre.

— Me reconnaissez-vous, my lord ? Me reconnaissez-vous, maintenant ?

Elle l'observait avec avidité. Lorsqu'elle parla à nouveau, ses lèvres remuèrent à peine.

— Flora... Flora Lansford. Essayez de vous souvenir ?

Il ne bougea pas. Alors, d'un ton plus pressant, elle dit :

— Et Sarley ? Auriez-vous oublié ce qui s'est passé à Sarley, un soir de printemps ?

Elle avait l'air d'une démente. Ses traits ne lui rappelaient rien. Il ignorait pourquoi elle s'était attachée à ses pas. Le malaise qui le tenaillait se fit plus précis. Du revers de la main, comme pour une mendiante, il l'écarta brutalement et il ordonna :

— Va-t'en !

Elle s'accrocha à son bras.

— Non, my lord, non. Vous vous méfiez. Sans doute vous faut-il une preuve ?

Elle fit glisser l'un des pans de sa pèlerine. Puis, elle déboutonna le haut de son corsage, déchirant dans sa hâte le tissu léger. Et, d'un geste saccadé, elle dénuda l'une de ses épaules.

— Regardez !

Les yeux de Torking se fixèrent sur la large tache pourpre qui marquait l'épaule nue. Malgré lui, il eut un mouvement de recul.

— A Sarley, elles étaient jalouses de moi. Elles m'accusaient de détourner d'elles leurs maris, leurs fiancés. Elles prétendaient que j'ensorcelais les hommes, que je leur faisais boire des filtres mystérieux de ma composition afin de les enchaîner à moi pour toujours.

Immobile, impassible en apparence, il écoutait.

— Un soir, elles ont décidé de se venger. Profitant de l'absence de mon père, auquel le marquis de Sotterfield avait confié le soin de gérer ses domaines, elles ont forcé les grilles de la propriété. J'ai tenté de leur échapper. En vain !

Elle chuchotait, comme dans la nef d'une église.

— Elles m'ont entraînée hors de la maison, vers la route, où elles avaient entassé des branchages. Elles y mirent le feu. Elles me dépouillèrent de mon châle, de ma blouse. L'une d'elles s'était emparée d'une mince barre de fer, qu'elle plaça au-dessus des flammes qui crépitaient.

Elle leva la tête. Et ses yeux cherchèrent ceux de Torking.

— Malgré mes cris, elles s'apprêtaient à marquer également ma figure, lorsqu'un bruit de roues retentit soudain. Affolées, étonnées de voir apparaître tout à coup un magnifique équipage, elles me libérèrent et prirent la fuite.

Sa voix changea, devint vibrante.

— Dans cet équipage, il y avait un homme. Et cet homme c'était vous, my lord !

Il avait croisé les bras. Son expression était dure. Il avait pour principe de ne jamais prodiguer de bontés. Son rôle sur cette terre était de détruire et non d'apporter de l'espoir. Il haïssait la sensiblerie, les élans de clémence, l'attendrissement. Pour lui, ils étaient synonymes de faiblesse et de capitulation. Et cette passante lui parlait d'un air bouleversé de l'aide qu'il lui avait prodiguée sans le vouloir !

— J'ai dissimulé sous mon châle mon épaule meurtrie. Je me suis avancée vers votre voiture. Je vous ai remercié, my lord. Je vous ai demandé votre nom. Et je vous ai dit le mien. Votre image est restée gravée dans ma mémoire.

Elle ne paraissait pas s'apercevoir du silence de Torking. Un silence qui dressait une barrière entre eux.

— Dès mon arrivée à Londres, en dépit des mois qui s'étaient écoulés, j'ai tenté de découvrir votre adresse. Les pièces d'or que vous m'aviez lancées par la portière, au moment où votre équipage s'éloignait, m'ont été d'un grand secours. Grâce à elles...

Il éclata de rire.

— Je t'ai donné de l'or ? Moi ? Je devais être ivre, ma parole !

Il ne riait plus. Ses yeux noirs, d'un noir chatoyant et qui contrastait avec le blond argenté de sa chevelure, n'avaient pas perdu de leur dureté.

— Pourquoi désirais-tu découvrir mon adresse ? Pour obtenir d'autres pièces d'or ?

Elle avait refermé les pans de sa pèlerine. Son visage, dans cette demi-pénombre, était comme un masque de velours blanc.

— Tu t'es livrée à des recherches inutiles. Je ne

puis rien pour toi. Ma bourse est creuse. Et j'ignore ce que sera demain.

Il la dominait toute de sa haute taille. Il y avait quelque chose de cruel, de malfaisant, d'attirant aussi dans le dessin de sa bouche, dans sa façon de sourire. Le charme qui émanait de lui inquiétait et éveillait toutes sortes de sentiments troubles. On se demandait qui il était vraiment. On souhaitait connaître ses secrets. Des secrets que l'on devinait dangereux.

— Passe ton chemin. Et n'essaie pas de me rencontrer à nouveau. Je suis au bord du gouffre et tu veux que je te tende la main ?

— C'est moi qui vous tendrai la main aujourd'hui, my lord. Moi...

Elle s'était écartée de lui. La brume l'encadrait étrangement. Et Torking ne savait plus si c'était un fantôme qui se tenait là, sur ce trottoir... un fantôme, ou une créature de chair et de sang ! L'envie de fuir le tenaillait. La rue était déserte. Et cette femme, dont le corps paraissait ondoyer, lui inspirait une crainte indéfinissable.

— Je vais vous arracher à ce gouffre, dont vous avez atteint les bords.

Il la toisa avec mépris.

— Toi ? Tu n'as aucune puissance !

Elle s'écarta de lui, plus encore. Comme si elle avait reçu un coup ! Sa silhouette à présent se confondait avec la nuit.

— Je vous attendrai demain soir, my lord. Au numéro 18, Browling Street. La maison est isolée et bâtie en retrait au fond d'un parc. La grille ne sera pas verrouillée.

Il voulut s'avancer vers elle. Elle ne lui laissa pas le temps d'esquisser un geste. Brusquement, il ne la vit plus. On aurait juré qu'elle avait sombré dans le néant. Il prêta l'oreille. Ce bruissement de soie, ce bruit de pas rapides, les entendait-il vraiment ? Il ne savait plus. Pourtant, le parfum de fleurs mélangées qui flottait dans l'atmosphère lui prouvait qu'il n'avait pas rêvé...

CHAPITRE II

Le lendemain, le brouillad se fit plus dense encore. Il formait comme des cloisons qui scindaient la cité en tronçons innombrables. Dans certaines ruelles étroites, il était presque palpable. On se sentait pris à la gorge. Les relents âcres, iodés, qui se dégageaient de cette masse « cotonneuse » faisaient songer à des algues se décomposant sur une plage, à une terre fraîchement remuée abritant des champignons vénéneux. Les vêtements de ceux qui s'aventuraient dehors étaient imprégnés aussitôt d'une humidité glacée. Les chevaux des fiacres, des coupés, avançaient au pas. A quatre heures de l'après-midi, les becs de gaz s'illuminèrent. Phares minuscules à la lueur imprécise, ils donnaient aux décors qu'ils éclairaient inégalement une apparence plus fantastique encore.

Debout dans sa chambre, face à la glace qui ornait la cheminée, le duc Anthony de Torking contemplait son reflet dans le miroir. Il se savait beau. D'une beauté qui, heureusement pour lui et malgré sa chevelure trop blonde, n'avait rien d'efféminé. Son visage à l'expression secrète et envoûtante était sculpté avec âpreté. Son corps, tout en minceur musclée, rappelait celui des guerriers antiques. Mais c'était sa voix, sa voix surtout, qui captivait ceux qui l'approchaient. Il s'en servait avec une virtuosité inégalable. Elle était son arme la plus sûre, la plus efficace. Les femmes, que la voix de Torking avait bouleversées, ne se comptaient plus !

D'un mouvement ondoyant de ses doigts, Anthony lissa ses cheveux sur ses tempes. Ses mâchoires étaient crispées. A cette minute-là, pour pouvoir se rendre dans un tripot où peut-être l'attendait la chance, il aurait sacrifié des années de sa vie. Mais, pour saisir cette chance, il lui fallait de l'argent. Or, il ne possédait plus rien. Et si le jeune marquis John of Montague ne lui avait pas offert l'hospitalité, il se serait trouvé sans un lit où dormir. La vieille gouvernante bourrue, Martha, qui n'avait pas accompagné son maître au cours du voyage qu'il effectuait à travers l'Ecosse, était là pour s'occuper du bien-être, du confort de Torking. Elle s'acquittait de sa tâche, en dépit de la méfiance que lui inspirait cet étranger dont elle ne parvenait pas à deviner les pensées.

Elle ne comprenait pas pourquoi John of Montague avait accepté d'introduire dans la maison de sa mère et pendant l'absence de cette dernière, un homme qui semblait personnifier le mystère et le danger. Car avec son flair infaillible de bête, Martha sentait que Torking était le danger !

— Comment diable me procurer de l'argent ?

Anthony s'était éloigné de la glace, en prononçant ces mots d'un ton rageur. Nerveusement, de son poing, il heurtait la paume de son autre main grande ouverte. Il refusait de s'avouer qu'il avait faim. Et que l'idée d'affronter Martha, de lui expliquer qu'il dînerait là ce soir, lui était odieuse. Cette vieille, toute ratatinée, avait une façon de le regarder, d'épier ses moindres mouvements, qui mettait ses nerfs à vif.

— Si seulement je pouvais vendre tout ce qu'il y

a dans cette pièce ! Ces chandeliers en argent massif, ces statuettes, cette tabatière en or ciselé !

Il parlait d'une voix assourdie, empreinte de haine et de révolte.

— La pauvreté, quelle prison !

Il allait et venait dans la chambre. Jamais il n'avait été aussi beau, d'une beauté aussi torturée, aussi malfaisante. Soudain, il s'immobilisa. On avait frappé contre la porte.

— Un message pour vous, my lord.

Il tressaillit. Voyant qu'il ne répondait pas, Martha avait tourné le loquet et elle se tenait sur le seuil.

— On a remis ceci pour vous.

Il prit l'enveloppe qu'elle lui présentait. Il attendit le départ de Martha pour lire cette lettre qu'il n'attendait pas. Quelques lignes... et qui allaient changer le cours de son destin !

« La mère de John of Montague regagnera Londres après-demain. Elle ignore votre présence sous son toit. Où irez-vous, duc de Torking ? Je vous rappelle que la grille du numéro 18 Bowling Street, ne sera pas verrouillée ce soir... »

Pas de signature. Un parfum de fleurs mélangées, léger et tenace en même temps, se dégageait de l'enveloppe, de la feuille de papier que Anthony avait lancées sur la table. Durant plusieurs secondes, il demeura immobile, les yeux fixés au loin. Flora Lansford... Sarley... tout cela avait donc existé ! À quelle époque de l'année cela s'était-il passé ? Sans doute, après cette chasse à courre dans la campagne avoisinante. Ensuite, il y avait eu ce festin et des vins à profusion. Et l'équipage ? À qui appartenait l'équipage dont l'apparition avait provoqué la fuite des mégères qui voulaient châtier Flora Lansford ? À lord Maugham ? Ou au baron Doppel ? Tous ceux qui avaient participé à la chasse possédaient des fortune considérables, des voitures luxueuses, des valets. Leurs noms importaient peu. Ce qui importait, c'était le mystère entourant cet épisode sur une route où des femmes, en proie à la colère, avaient mis le feu à des branchages, afin de punir celle qu'elles accusaient de briser leurs foyers.

— Je ne me souviens plus. Elle a dit que je lui avais donné de l'or. De l'or...

Il fit quelques pas dans la pièce. Il était très pâle. D'habitude, même lorsqu'il avait bu beaucoup, il gardait presque toujours le contrôle de sa mémoire. Presque toujours, il réussissait à évoquer, à « regrouper » des scènes, des images. Mais Flora Lansford demeurait l'énigme ! Que lui voulait-elle ? Comment avait-elle appris que la mère de John of Montague allait regagner Londres dans deux jours ?

Ce rendez-vous, fixé au 18, Bowling Street, ne dissimulait-il pas un piège ? Machinalement, Anthony jeta un coup d'œil vers la lettre abandonnée sur la table. Au fond, que risquait-il ? Qui pouvait lui tendre ce piège ? Un homme, dont il aurait courtisé et pris la femme ? Ou une femme qu'il aurait séduite, pour mieux la déserter quelques jours plus tard ? De pitoyables adversaires et qu'il était capable de mâter. A pas rapides, il sortit de la chambre.

Dehors, le brouillard rampa vers lui, l'encercla aussitôt. Il se sentit frissonner. Avait-il raison de répondre à l'appel de cette Flora Lansford ? Une silhouette fantomale, un visage qui semblait de cire et une marque pourpre sur une épaule nue. Sarley et ses forêts et ses châteaux que l'on disait hantés...

D'un élan nerveux, Torking s'engagea sur la chaussée. Pour s'orienter, il comptait plus sur son instinct que sur la lumière imprécise issue des becs de gaz.

L'image de Flora Lansford se dressait devant lui, tandis qu'il avançait. Elle lui avait déclaré que son père était chargé de surveiller l'exploitation des terres appartenant à lord Sotterfield. Et elle, quel métier exerçait-elle depuis son départ de Sarley ? Quelqu'un à Londres subvenait-il à ses besoins ? Ou bien avait-elle été engagée comme servante, comme dame de compagnie par une famille riche de la ville ? Quel autre emploi pouvait être offert à la fille d'un obscur régisseur de domaines ?

L'espace d'une seconde, Torking éprouva la tentation de rebrousser chemin. Mais une force mystérieuse, plus puissante que sa volonté, l'incita à traverser le carrefour. Bowling Street était la plus étroite des quatre rues qui y aboutissaient. Elle était sûrement la plus courte aussi. La grille du numéro 18 aurait pu être celle d'une prison, tant ses barreaux étaient épais et rapprochés. Flora Lansford avait dit :

— La grille ne sera pas verrouillée.

A sa grande stupeur, Anthony constata qu'une lourde chaîne, munie d'un cadenas, interdisait l'accès du parc ! Que signifiait tout cela ? Pourquoi l'avait-on attiré vers ce coin désert de la cité, avec ce brouillard qui coupait le souffle et semblait abriter mille dangers ? Le silence dans cette rue, où tout paraissait mort, était hallucinant. L'anxiété de Torking se fit plus précise, lorsqu'il s'aperçut qu'il avait oublié d'emporter avec lui le petit poignard sans lequel il ne sortait jamais.

— Tant pis ! Je rentre chez moi.

Il allait s'écarter de la grille, quand tout à coup il distingua quelque chose qui brillait dans la pénombre... la cloche métallique, fixée à l'un des barreaux et sur laquelle se reflétait une clarté blafarde projetée par le lampadaire.

Sans presque se rendre compte du geste qu'il esquissait et obéissant toujours à cette même force étrange et invincible, Anthony actionna la cloche... dont le tintement, à cause du silence qui régnait partout, prit une ampleur terrifiante. On aurait juré que des centaines de chevaux galopaient sur un sol de métal. Que des grelons géants s'abattaient sur une plaque d'acier. Ce fut comme une tornade, comme un ouragan parcourant une forêt.

Torking eut un mouvement de recul. Mais il ne s'enfuît pas, car une silhouette était apparue sur les marches du perron. Immobile, les yeux rivés sur l'homme qui marchait vers lui, Anthony attendait. Son cœur scandait un rythme barbare.

— Qui demandez-vous ? Ici, c'est le numéro 18, Bowling Street !

La lampe, que tenait l'homme, traçait sur le sol un cercle jaunâtre.

— Je demande Miss Flora Lansford. Elle m'a invité à venir la voir ce soir.

Il y eut une pause interminable. Puis, l'homme dit :

— Je ne connais personne de ce nom. Vous avez dû vous tromper d'adresse.

Brusquement, les doigts de Anthony encerclèrent les barreaux de la grille et il s'écria :

— C'est impossible ! J'ai vu cette femme hier. Je lui ai parlé. Je n'ai pu commettre d'erreur.

L'homme leva sa lampe. Il détailla les vêtements luxueux de Torking, sa cape, le jabot de dentelles de sa chemise de soie. Et, d'une voix toute changée, celle d'un subalterne parlant à un dignitaire de la cour, il interrogea :

— Seriez-vous le duc Anthony de Torking ?

— Oui. C'est moi.

Le majordome exécuta une courbette.

— Toutes mes excuses, toutes mes plus humbles excuses. Que Votre Grâce daigne entrer.

La grille, en s'ouvrant, émit un grincement bref. Le gravier de l'allée crissait sous les pas. Deux statues de marbre noir montaient la garde de chaque côté du perron. Dans le vestibule, aux proportions impressionnantes, la flamme de nombreuses chandelles révélait l'austérité du décor. Etait-ce à dessein que l'on avait placé là des meubles dignes d'un couvent ? Des chaises aux dossiers hauts, semblables à des prie-dieu. Deux banquettes en bois sombre et massif, telles que l'on en trouve dans les réfectoires des monastères. Sur les murs, des fresques bibliques. Pas de bibelots. Pas de fleurs. Pas d'âtre abritant des bûches incandescentes. Un froid de soupirail.

— Chez qui suis-je, ici ?

Anthony avait parlé d'un ton assourdi. Le domestique ne parut pas entendre cette question. Après des coups légers frappés contre une porte, il l'ouvrit toute grande. Un homme, que Torking voyait de dos, se tenait debout près de la cheminée, dans un salon plus vaste encore que le vestibule. Enfin, il fit face à Anthony. Il était petit, fluet. Son visage, comme parcheminé, était criblé de rides innombrables et sinueuses. Il avait une bouche mince, des yeux gris et étroits.

— Je vous attendais. Mais je ne pensais pas que vous vous risqueriez dehors par un temps pareil.

La voix était enrouée.

— Votre chambre, au premier étage, est prête. Vous pourrez l'occuper quand bon vous semblera.

Ne sachant que faire, que dire, Anthony contemplait cet étrange personnage, dont les cheveux blancs frôlaient presque les épaules et qui, doucement, frottait l'une contre l'autre ses mains osseuses.

— Depuis mon âge le plus tendre, je n'ai jamais supporté une source de chaleur. Mais dans la « Chambre

Bleue », la vôtre désormais, un feu de bois a été allumé dès le crépuscule.

Dans la tête de Anthony, c'était un tumulte affreux.

— Si vous êtes décidé à vous installer dans cette maison ce soir même, je...

Torking l'interrompit :

— Permettez-moi de vous poser une question. Flora Lansford habite-t-elle sous votre toit ?

L'homme eut comme un tressaillement.

— Lansford ? J'entends ce nom pour la première fois.

Il s'était approché de Anthony. Ses yeux gris et étroits luisaient.

— En dehors des domestiques, il n'y a ici que Priscilla et moi.

Après une pause brève, il ajouta :

— Pour l'instant.

Prenant un mouchoir dans sa poche, il l'appuya contre ses lèvres. Une petite toux sèche parut creuser sa poitrine. Il marqua une autre pause, avant d'enchaîner :

— Il serait temps peut-être que je vous conduise auprès de Priscilla. Il lui est malheureusement impossible de venir jusqu'à nous.

Il jeta un coup d'œil vers son mouchoir. Puis, l'ayant remis dans sa poche, il dit :

— Ne la laissons pas seule plus longtemps.

Il avança vers un rideau de velours brun et l'écarta brusquement.

— Priscilla, j'aimerais te présenter le duc Anthony de Torking.

Une femme, une jeune fille plutôt, était installée dans un fauteuil placé non loin de la fenêtre. Un plaid à larges franges recouvrait ses jambes. La robe qu'elle portait, au col se boutonnant haut, était en velours noir. Ses cheveux sombres, tirés sur les tempes, dénudaient son visage aux pommettes pointues. Buste raidi, ses mains aux paumes ouvertes reposant sur ses genoux, elle semblait dormir.

— Priscilla...

Lentement, ses paupières se soulevèrent. Son regard fit le tour de la pièce, puis se fixa sur Torking. Elle ne prononça aucun mot de bienvenue. Elle n'eut pas un sourire. Elle se contenta d'incliner sa tête, légèrement.

— Priscilla, ma chérie, la « Chambre Bleue » ne sera pas vide, cette nuit. J'ai insisté pour que le duc de Torking ne s'aventure pas dans les rues de Londres aujourd'hui. A cause de ce maudit brouillard, il risque de ne trouver ni son chemin, ni un fiacre.

Elle garda le silence. Ses paupières s'étaient baissées.

— Je pense, si tu n'es pas trop fatiguée, que tu auras plaisir à bavarder avec lui.

La lumière des cinq chandelles, plantées dans un chandelier en argent massif, l'éclairait de biais, faisant paraître démesurée l'ombre que ses cils projetaient sur ses pommettes aiguës.

— Je regrette. Je suis fatiguée. Et, à mon vif regret, je ne pourrai pas tenir compagnie à votre invité.

Les narines de son nez, petit et aquilin, étaient comme deux fentes à peine perceptibles. Et, malgré son air de jeunesse, on remarquait des plis d'amertume aux coins de ses lèvres. Il y avait en elle quelque chose d'étrange, de déroutant. Sa voix, aux accents brisés, était celle d'une femme ayant vécu et souffert. Quel âge avait-elle donc ? Et pourquoi y avait-il cette lueur d'inquiétude, dans ses prunelles noires comme ses cheveux ?

— Je vous en prie... Il n'était pas question que je passe la nuit ici.

Anthony avait prononcé ces phrases d'un ton bref. L'aventure, dont il était devenu subitement et involontairement le personnage central, l'effrayait. Il ignorait le nom de son hôte. Il ne comprenait pas pourquoi on l'avait attiré dans cette maison. Et il n'éprouvait qu'une envie : s'en échapper au plus vite !

— Je vais vous demander la permission de me retirer. Je ne crains pas de me déplacer dans l'obscurité. Et j'ai toujours su m'orienter, même lorsque la visibilité était nulle.

Les mains de Priscilla rampèrent l'une vers l'autre et se rejoignirent nerveusement. L'homme remarqua-t-il ce geste ? Rapide, il franchit la distance qui le séparait de Torking.

— Non, non, mon cher. Je me sentirais responsable si vous étiez victime d'un accident.

— Un accident ?

— Le brouillard n'est-il pas l'ami des voleurs et des assassins ?

Les doigts de Priscilla s'étaient désunis. Une fois encore, ses mains aux paumes offertes reposaient sur ses genoux. Elle respirait doucement. On aurait juré qu'elle luttait contre une torpeur invincible. Lui avait-on administré une drogue, pour la faire dormir ? Souffrait-elle d'un mal mystérieux ? A présent, deux taches pourpres marquaient ses pommettes. Des gouttes de sueur étaient apparues sur ses tempes, sur les ailes de son nez.

— Thomas, mon majordome, va vous montrer votre chambre. Un repas froid vous sera servi, dès que vous en manifesterez le désir.

Le domestique, qui sans doute était aux aguets dans le hall, guida Anthony vers un escalier monumental, tapissé de mauve. Côte à côte, ils gravirent les marches. Au bout d'un couloir très long, une porte était entrouverte.

— C'est ici, Votre Grâce.

Anthony pénétra dans une pièce, aux murs d'un bleu

tendre. Machinalement, il détailla le décor. Immobile, silencieux, Thomas l'observait. Il ne broncha pas lorsque Torking, ayant aperçu une valise posée sur une chaise, eut un mouvement de recul.

— Cette valise m'appartient !

— En effet, Votre Grâce. Un domestique a reçu l'ordre de se rendre au domicile du marquis John of Montague, La gouvernante du marquis, mise au courant de la situation, s'est empressée de lui confier les vêtements, le linge, dont Votre Grâce aurait besoin pendant son séjour dans une maison étrangère.

Le cœur de Anthony battait très vite. Tout avait été réglé, exécuté sans son autorisation, sans son accord. Un cocher ,des chevaux s'étaient risqués à affectuer, malgré le brouillard, un important trajet. N'aurait-il pas été plus simple qu'on lui propose de monter dans cette voiture, afin de le ramener chez lui ? L'attitude de Maria, la gouvernante, était stupéfiante également. De quel droit avait-elle agi de la sorte ? L'homme auquel elle avait remis cette valise, était un inconnu pour elle. Et pourtant, elle n'avait pas hésité un seul instant !

— Votre Grâce a-t-elle encore besoin de moi ? Je conseille à Votre Grâce de laisser les fenêtres fermées. L'humidité qui règne dans le parc est malfaisante.

Voyant que Anthony se taisait, le majordome s'inclina :

— Je souhaite une bonne nuit à Votre Grâce.

— Attendez !

Les doigts de l'homme avaient déjà agrippé le loquet de la porte.

— Ce portrait, là-bas à gauche... qui est-ce ?

— La duchesse douairière de Landbridge. La grand-mère du duc Michaël de Landbrige, mon maître, et d'un des plus fidèles sujets de Sa Majesté, le roi George IV.

Incapable de proférer un mot, Anthony contemplait ce visage sur la toile, si semblable à celui de Priscilla ! Thomas s'était éclipsé sans bruit. Anthony était seul. Seul avec ses pensées, ses craintes et les points d'interrogation innombrables auxquels il ne pouvait pas trouver de réponses ! Une fois encore, son regard fit le tour de la « Chambre Bleue ». Qui l'avait occupée, avant lui ? Une femme, sûrement, comme le prouvaient les rideaux légers, aériens, ornant le lit; la coiffeuse avec ses peignes, ses brosses; le clavecin voisinant avec un bonheur-du-jour au bois fauve incrusté de dorures. La soie à fleurettes de la bergère, des deux fauteuils, une femme l'avait choisie. Debout au milieu de la pièce, tel un voyageur sur le quai d'une gare inconnue, Torking réfléchissait. Mais tandis qu'il songeait, une image se dressait devant lui... l'image de Priscilla. Il se souvenait de sa figure pointue de chatte, de ses yeux aux prunelles étrangement dilatées, de ses mains si blanches posées sur le plaid qui recouvrait ses genoux. Avec sa pâleur, ses cheveux tirés sur ses tempes, elle avait l'air d'une noyée. Et sa voix, aux accents qui se brisaient... D'un geste nerveux, au hasard, Anthony prit un livre sur une étagère et s'installa dans le fauteuil placé près de la cheminée. Un recueil de poèmes. Des secondes, des minutes s'écoulèrent. L'esprit ailleurs, pour apaiser ses nerfs, Torking feuilletait le volume relié de cuir précieux. Il aurait été incapable de dire pourquoi il restait là, dans cette chambre, pourquoi il ne fuyait pas cette maison où tout n'était que mystère. Soudain, il redressa la tête. On marchait quelque part, dans l'immense demeure. Un bruit de pas furtifs, accompagné d'un bruissement de taffetas. Retenant son souffle,

Anthony écoutait. La robe qu'arborait Priscilla était en velours. Une domestique, alors, dont les jupons empesés émettaient ce frou-frou au moindre de ses mouvements ? Tout en prêtant l'oreille, il récapitulait les événements qui s'étaient succédé depuis deux jours à un rythme vertigineux. Avait-il été la victime d'une hallucination, en croyant apercevoir, la veille, à sa sortie du tripot, une silhouette fantomale vêtue d'une cape qui balayait le sol ? Flora Lansford existait-elle vraiment ? Si elle n'existait pas, comment savait-on, au numéro 18, de Bowling Street, qu'il allait venir et qu'il s'appelait Anthony de Torking ? On l'attendait, on guettait son arrivée... Tout était prêt pour l'accueillir. Mais Flora Lansford, personne ne la connaissait ! Brusquement, la panique s'abattit sur Torking, l'empoigna par les épaules. Il se leva, s'empara de sa valise.

A présent, rien ne bougeait plus nulle part. Doucement, il ouvrit la porte, qu'il ne referma pas. Grâce à la lumière que répandaient les chandelles dans la « Chambre Bleue », il put descendre l'escalier. Dans le hall, il tâtonna. Il craignait de heurter un meuble, de se tromper de direction. Sa gorge était sèche, son pouls accéléré. Dehors, sur les marches du perron, il poussa un soupir. Il ne voulait pas penser que, dans un avenir implacablement proche, la mère de John of Montague serait de retour à Londres. Il ne se disait pas qu'il lui faudrait alors se mettre en quête d'un autre logis. Il oubliait qu'il ne possédait plus rien et qu'il ne pouvait compter sur aucun crédit. Son cerveau se refusait à tout travail. Son corps seul vivait et vibrait à cette minute-là. Et ce corps, la panique le harcelait ! En courant presque, il traversa l'allée qui l'éloignait du perron. Il aurait juré que partout, derrière chaque buisson, derrière chaque bosquet d'arbres, des formes s'agitaient habillées de capes ondoyantes. Enfin, il s'arrêta ! La rue était là, derrière cette grille. Mais les barreaux qui le séparaient de la rue auraient pu être ceux d'une prison... à cause de la lourde chaîne et du cadenas géant qui faisaient de lui un prisonnier.

CHAPITRE III

Ce fut l'appel impératif d'un gong qui réveilla Anthony. Il se dressa à demi, dans ce lit qui n'était pas le sien. Il tenta de rassembler ses souvenirs, de découvrir où il se trouvait. De ses poings, il frotta ses yeux. Un crépitement dans la cheminée, la chute d'une bûche incandescente, rongée par les flammes, l'arrachèrent à la torpeur qui alanguissait son être tout entier. D'un élan vif, il se mit debout. Le feu dans l'âtre avait dû s'éteindre, au cours de la nuit. Quelqu'un s'était donc chargé de le rallumer, à l'aube sans doute. Quelqu'un, dont la démarche muette, les gestes silencieux n'avaient pas rompu le silence qui régnait dans la Chambre Bleue. Pourtant, Torking avait verrouillé la porte ! Sourcils froncés, après une brève hésitation, il se dirigea vers la salle de bains, qui communiquait avec cette pièce où il avait dormi d'un sommeil de bête harassée. Là aussi, tout attendait son bon plaisir. Il pouvait prendre son bain, dans une eau parfumée à la lavande. Des flacons, contenant des essences, des sels qui embaumaient, étaient alignés sur une étagère. Deux serviettes, brodées d'une couronne minuscule, avaient été déposées sur une chaise. Une buée à peine perceptible flottait dans l'atmosphère. Rapide, Anthony se déshabilla. Le bain lui procura une sorte de détente, d'apaisement fugitif. Une friction à l'eau de Cologne accentua cette sensation de bien-être.

Ayant revêtu un costume en fin lainage bleu, presque noir, il s'approcha de la glace encastrée dans le mur. Jamais il n'avait été aussi beau ! Et les cernes qui marquaient ses paupières lui donnaient un air de lassitude romantique. L'habit qu'il portait mettait en relief la carrure arrogante de ses épaules, la puissance de son torse, la finesse de sa taille. Le pantalon, qui collait à la jambe, la veste aux revers étroits, le gilet de satin gris clair étaient dignes du dandy le plus raffiné. Et Brummel lui-même, l'extravagant et si élégant Brummel, n'aurait pas désavoué la chemise à fanfreluches précieuses du duc Anthony de Torking.

Anthony sourit. En contemplant son reflet dans le miroir, il avait retrouvé soudain son audace de jadis, son aplomb de conquérant sans scrupules. Ses craintes, ses doutes s'étaient dissipés comme par miracle. Le destin l'avait entraîné vers une aventure fantastique. Eh bien, cette aventure, il la vivrait, jusqu'au bout ! La beauté qu'il détenait était son arme la plus sûre. Avec une arme pareille, il était de force à déjouer tous les complots, à user de mille ruses si un danger le menaçait. Car il était décidé maintenant à profiter au maximum de la générosité incompréhensible du sort. Lui qui, la veille encore, était plus misérable qu'un mendiant ! S'il fallait tricher, s'il fallait mentir, il le ferait ! Il n'avait rien à perdre et tout à gagner.

D'un geste qui lui était habituel, il lissa ses cheveux sur ses tempes. Il y avait quelque chose de cruel dans son sourire. Il était impatient de se mesurer à ses adversaires, de leur prouver qu'ils ne pouvaient pas le vaincre. On ne soumet pas un pirate, on n'enchaîne pas un nomade, on n'apprivoise pas un animal sournois. Il s'approcha de la cheminée, tendit ses paumes vers cette chaleur. A cet instant précis, des coups légers heurtèrent la porte, qui s'ouvrit presque aussitôt.

— Le petit déjeuner de Votre Grâce.

Ce ne fut pas Thomas qui déposa le plateau sur la table. Mais un autre domestique, dont la livrée était moins spectaculaire. Après un coup d'œil furtif vers Anthony, il murmura :

— Mon maître attend Votre Grâce dans la bibliothèque.

La voix du majordome était monocorde.

— Je ne tarderai pas à le rejoindre. Et j'aimerais vous remercier pour ce feu, rallumé ce matin à l'aube, pour ce bain parfumé... celui qui s'est acquitté de ces tâches a réussi à ne pas me réveiller, à ne pas faire le moindre bruit. Les valets placés sous vos ordres sont aussi silencieux, aussi experts et discrets que vous.

— Votre Grâce est bien bonne.

Resté seul, Torking mangea avec avidité. Les œufs, le bacon, les tranches de pain, tièdes et dorées, étaient succulents. Quand il s'engagea enfin dans l'escalier, il aperçut Thomas posté dans un coin du hall.

— Par ici, Votre Grâce.

La pièce dans laquelle pénétra Anthony produisait l'impression d'un musée. Des tableaux, datant de la Renaissance Italienne, ornaient les murs. Plusieurs statues de bronze, représentant des divinités païennes, semblaient monter la garde dans ce décor aux meubles imposants et où le soleil, sans doute, ne pénétrait jamais. Des livres innombrables, tous reliés de cuir noir, étaient rassemblés derrière des vitrines. On aurait juré qu'un odeur d'encens flottait dans l'atmosphère.

— Avez-vous passé une bonne nuit ?

Michaël de Landbridge s'était levé, en prononçant ces mots. Anthony ne le croyait pas tellement fluet, tellement chétif. Avec ses cheveux qui descendaient bas sur sa nuque, ses yeux trop brillants, sa poitrine creuse, il ressemblait à un convalescent que talonnerait encore la fièvre.

— J'ai fort bien dormi. Et je me sens un peu honteux d'avoir fait la grasse matinée.

Le marquis frotta l'une contre l'autre ses mains osseuses.

— Ce brouillard dehors est très déprimant, très nocif. Il agit sur le cerveau comme une drogue. Il pousse au sommeil.

D'un signe du menton, il indiqua un fauteuil à Torking. Lui-même demeura debout.

— Chez certains êtres, hélas, il provoque des réactions contraires. Priscilla ne s'est guère reposée, cette nuit. Je lui ai conseillé de rester allongée. Peut-être la verrons-nous à l'heure du thé.

Son regard, tandis qu'il parlait, évitait celui de Torking.

— Elle n'est pas d'une santé fragile, loin de là. Ce sont ses nerfs qui la tourmentent, bien souvent. Et votre apparition, hier, l'a émue.

Paupières mi-closes, impassible, Anthony écoutait.

— C'est donc moi qui vous entretiendrai du sujet qui nous préoccupe tous.

Il marqua une pause. L'espace d'une seconde, ses lèvres minces se crispèrent. Mais son regard continua à fuir celui de l'homme qui, imperturbable, très à son aise, l'observait maintenant avec une curiosité presque gênante.

— Avant toute chose, il nous faut fixer une date. Cette date, je l'ai choisie. Mais encore faut-il qu'elle vous convienne.

Il fit face à Torking.

— Le 28 du mois prochain. Qu'en pensez-vous ? Si ce chiffre...

Anthony l'interrompit :

— Le 28 ? Que va-t-on célébrer, au juste ?

— Un mariage.

Torking s'était levé. Et, bras croisés, magnifique, immense, il contemplait son hôte.

— Votre mariage... avec Priscilla de Landbridge, ma fille.

Anthony n'eut pas un tressaillement, pas un geste de protestation. Enfin, d'une voix très calme, il dit :

— Je suis honoré, très honoré. Mais vous ignorez tout de moi...

— Détrompez-vous ! J'ai sur votre compte, les renseignements les plus précis.

— De qui les tenez-vous ?

Landbrige eut un claquement de langue impatient.

— Peu importe !

Anthony était très pâle. Lui, qui avait décidé d'attaquer, se sentait brusquement comme perdu, perdu et menacé. Cette aventure qu'on lui avait imposée, se déroulait à un rythme trop rapide. Après un prologue bref, l'intrigue s'amorçait implacablement. Et malgré le flair infaillible qui le guidait toujours, il ne réussissait pas à deviner quels seraient les prolongements de cette intrigue et quel en serait l'aboutissement. Au lieu de se dissiper, le mystère devenait plus écrasant encore. Il prenait l'apparence d'un mur infranchissable et qui, en s'écroulant, risquerait de provoquer des drames affreux. Car partout où Torking apparaissait, ce n'étaient que tragédies, discordes et violences.

— Les renseignements que j'ai obtenus m'ont satisfait. Pleinement.

Anthony retint son souffle. Ce n'était pas possible ! Ou bien cet homme avait été mal informé, ou bien alors cette confiance qu'il affichait, cette candeur dissimulaient un piège. Il ne pouvait s'agir que d'un autre

Torking, quelque parent éloigné et qui menait une existence des plus discrètes.

— Vous avez dû vous apercevoir, mon cher, que vous étiez attendu dans cette maison, que l'on espérait votre visite ?

Anthony ne répondit pas. Malgré lui, il se souvenait de l'accueil glacial que lui avait réservé Priscilla. Et il ne comprenait pas ! D'un ton hésitant, il murmura :

— Je suppose qu'avant de me parler de ce mariage... imminent, vous avez consulté Miss Priscilla ?

— La consulter ? Cette union, c'est elle qui la désire. Et jamais encore je ne lui ai refusé ce qu'elle souhaitait obtenir !

La voix de Landbrige s'était faite agressive, stridente. Il voulut poursuivre son discours, mais une petite toux sèche l'en empêcha. Ce fut Anthony qui dit :

— Avez-vous songé que le mariage implique... l'amour ?

Brusquement, ayant redressé son torse chétif, Landbridge s'écria :

— L'amour ? Le cœur de ma fille déborde d'amour ! Vous êtes devenu son obsession.

— Et moi ? Vous ne me demandez pas...

— Non, Torking, je ne vous demanderai rien. Priscilla est une créature adorable, sensible. Vous apprendrez à l'aimer ! Je crois fermement à une transmission de la tendresse.

Leurs regards se croisèrent. Dans celui du marquis de Landbrige, on remarquait comme une lueur d'angoisse. Pourtant, sa voix avait repris ses accents habituels, lorsqu'il déclara :

— Je sais que vous avez subi des revers de fortune. Je sais que votre situation financière est des plus critiques. Votre avenir, désormais, sera assuré. Je vous associerai à mes affaires. Et c'est l'esprit tranquille que vous pourrez vous évertuer à rendre heureuse... votre femme.

De nouveau, leurs yeux se cherchèrent. Ceux de Landbridge luisaient étrangement.

— Ce soir, Torking, je vous laisserai en tête à tête avec Priscilla. Cela vous permettra de découvrir à quel point elle est charmante et intuitive. Car si elle vous connaît, vous, vous ne la connaissez pas encore.

Soudain, se penchant vers Anthony, il chuchota :

— J'ai donné des ordres à mon secrétaire, afin que vous ne manquiez pas d'argent.

Cette phrase, il la prononça très vite. Puis, il tourna le dos à Anthony et marcha vers la fenêtre. Ses épaules étaient voûtées. Il ne dit rien, il n'esquissa pas un geste, lorsque Torking sortit de la pièce. Il semblait privé de vie, tout à coup...

CHAPITRE IV

Elle occupait le même fauteuil, éclairé de biais par les feux de plusieurs chandelles. Mais sa robe n'était plus la même. Elle devait aimer le velours. Mais cette fois-ci, elle avait opté pour une couleur plus claire : un beige tirant sur le roux. Une mantille en très fine dentelle blanche incrustée de fils d'or recouvrait ses cheveux, rassemblés sur sa nuque en un pesant chignon.

Quand Anthony entra dans le salon, elle était en train de contempler les bûches dans la cheminée, le long desquelles courait une petite flamme vorace. Sur son visage, penché vers l'âtre, c'était une succession fantastique d'ombres et de lueurs fugaces. Comme la veille, ses mains aux paumes ouvertes reposaient sur ses genoux. Comme la veille encore, elle paraissait être isolée du reste du monde.

— Miss Priscilla...

Il s'était approché d'elle.

— Me permettez-vous de vous tenir compagnie pendant quelques instants ?

Elle le regarda.

— Je vous attendais.

La voix était basse, un peu rauque. Une voix que l'on ne pouvait pas oublier.

— J'aurais voulu passer la journée avec vous. Mais j'ai été souffrante.

Elle sourit. Elle avait des dents menues et serrées. Une bouche à la lèvre inférieure plus charnue. Elle n'était pas belle. Mais elle attirait l'attention, irrésistiblement. Sa personnalité indéchiffrable, son physique, étaient capables d'inspirer des passions brutales, exclusives, folles. Ils étaient capables aussi de faire le vide autour d'elle. Car son expression « d'envoûtée », ses airs de créature repliée sur elle-même, inspiraient une sorte de crainte trouble, le désir également de se soustraire au fluide inquiétant qui émanait d'elle.

— Qu'avez-vous fait, pendant que j'étais allongée dans ma chambre? Où êtes-vous allé? Qui avez-vous vu ?

Elle lui parlait comme à un familier. Comme à un homme auquel on a le droit de poser des questions. Et, pour la première fois de sa vie, le duc Anthony de Torking se sentait inquiet. Avec une pareille adversaire, les armes dont il se servait toujours seraient-elles aussi efficaces que d'habitude ? Pour des raisons, qu'il ne songeait plus à découvrir, on lui offrait de lier son destin à celui d'une inconnue, d'une totale étrangère. Et il était décidé à tirer le meilleur parti possible de ce bref entracte dans son existence d'errant. En effet, pour lui, ce n'était qu'un entracte. Et cette femme, que le sort avait placée sur sa route, il saurait la mâter, l'obliger à rester dans l'ombre. Elle était riche, immensément. Cela seul comptait. Et cet argent qu'elle possédait et qu'il convoitait, il s'en emparerait afin de mieux la combattre, mieux la détruire !

D'un ton très doux, il murmura :

— Ce que j'ai fait, pendant que vous demeuriez dans votre chambre ? J'ai visité vos domaines de Durra et de North, en compagnie de l'intendant de votre père.

Elle libéra sa tête de la mantille qui recouvrait ses cheveux.

— Je suis née dans le château de North.

Ses doigts se joignirent sur sa poitrine. Quelles images voyait-elle et pourquoi soudain semblait-elle frissonner ?

— Je hais cette immense bâtisse, où le vent parcourt les couloirs et hurle comme une bête à l'instant du danger ! Jamais je ne retournerai là-bas ! Jamais !

Durant plusieurs secondes, elle fixa les flammes dans l'âtre. Une mèche de ses cheveux sombres barrait son front. Son corsage, très ajusté, dessinait les courbes fermes de son buste. Etait-elle grande, ou menue ? Flexible, ou épanouie ? Pourquoi ne se levait-elle pas ? Pourquoi restait-elle clouée dans ce fauteuil ?

— Priscilla...

Elle tressaillit et se tourna vers lui. Pourtant, ce n'était pas lui qu'elle regarda. Ses yeux contemplaient un point au loin et Anthony eut l'impression que, tout à coup, elle lui avait échappé complètement.

— Priscilla, qui vous a parlé de moi ? Et comment l'idée vous est-elle venue de... de me choisir ?

— Je ne vous ai pas choisi. Tout était écrit, tout était prévu et notre rencontre et mon amour pour vous !

— Votre amour ? Mais quand, quand avez-vous appris à m'aimer ?

Il s'était agenouillé près d'elle.

— Répondez !

Lentement, d'une voix à peine distincte, elle prononça :

— Il me fallait un rêve pour peupler mes nuits. Et ce rêve, on a voulu que ce soit vous.

Il se pencha vers elle.

— Qui cela, « on » ?

Malgré lui, il remarqua la bague qu'elle portait : un diamant très pur, magnifique, taillé en forme de cœur. Etait-ce déjà sa bague de fiançailles ?

— Priscilla, je vous prie de me répondre !

— Non, taisez-vous. Taisez-vous...

Elle poussa un soupir, une plainte plutôt. Brusquement, perdant tout contrôle sur lui-même, il la saisit par les épaules, pour l'arracher à ce fauteuil dont elle semblait être la prisonnière. D'un mouvement sec du buste, elle libéra ses épaules. Et elle chuchota :

— Anthony, Anthony, serez-vous aussi... mon miracle ?

Il voulut s'éloigner d'elle. Mais il ne put achever son geste. Elle tendit vers lui ses mains et, de ses paumes brûlantes, encercla son visage. Puis ses lèvres, impatientes, cherchèrent celles de l'homme. Il éprouva comme un vertige. Enfin, elle s'écarta de lui et appuya sa nuque contre le dossier du fauteuil. Ses paupières se fermèrent. Elle respirait doucement. Elle paraissait assoupie. Debout au mileu de la pièce, les yeux rivés sur cette femme... sa femme bientôt, Torking n'osait pas s'enfuir...

CHAPITRE V

La fille riait aux éclats, en écoutant les histoires que lui racontait Anthony. Elle s'appelait Lottie Mac Dawn. Elle était grassouillette, toute en fossettes puériles, tantôt incrédule, tantôt émerveillée comme une enfant. Elle avait quitté la ferme de ses parents, en Ecosse, pour voler de ses propres ailes, dans une ville où il y aurait des « messieurs élégants ». Ne pouvant pénétrer dans les cercles que fréquentaient ces beaux messieurs, elle se contenta plus modestement de faire leur connaissance dans les tripots et nombreux lieux de plaisirs qu'ils visitaient en cachette. Ce fut ainsi qu'elle se lia d'amitié avec le duc Anthony de Torking. D'un caractère primesautier, stupide comme une gamine, elle était incapable de s'attacher à quelqu'un. Elle ne souffrit donc jamais de la brièveté des intrigues qu'elle vécut. Elle les savait éphémères. Et comme elle-même ne supportait aucune chaîne, on sollicitait volontiers sa compagnie. Avec elle, on était sûr qu'il n'y aurait jamais de scènes, de crises de larmes, de reproches. Le seul être qui avait réussi à l'émouvoir, à éveiller en elle des regrets, le désir de s'évader vers un autre univers, était Torking. Mais ces regrets, cette nostalgie qui s'emparaient d'elle par moments, cette tendresse qui ne demandait qu'à grandir, elle les avait combattus farouchement.

Et aujourd'hui, dans cette chambre aménagée en boudoir aux meubles d'une laideur arrogante, elle s'amusait comme une écolière.

Anthony, que la chance favorisait depuis peu et qui, la veille, avait gagné une très forte somme au whist, était d'une humeur gaie lui aussi.

— Alors, c'est vrai ? Tu vas te marier ?

— Eh oui ! Tu vois, tôt ou tard, nous nous laissons prendre tous.

Elle alluma une cigarette qu'elle avait puisée dans un coffret de laque brune. Ses narines s'enflèrent, tandis qu'elle aspirait la fumée avec avidité. Soudain, sérieuse, elle murmura :

— Ta fiancée... qui est-ce ? Et comment a-t-elle accepté d'épouser un homme tel que toi ? Personne ne s'est donc chargé de lui ouvrir les yeux, de lui dire qu'elle prenait pour mari le plus séduisant, le plus dangereux aventurier de tous les temps ? J'admire son courage !

De la pointe de ses doigts, elle tapota sur sa jupe de brocart mauve. Son corsage s'ornait d'un col-pèlerine à minuscules volants. Ses fines bottines grises, à lacets, avaient des talons démesurément hauts.

— Lottie, écoute...

Il avait besoin de parler, besoin de narrer à quelqu'un son extraordinaire récit. Et ce quelqu'un ne pouvait être que Lottie Mac Dawn, parce qu'elle gardait intacts les secrets qu'on lui confiait. Aussi, est-ce sans l'ombre d'une hésitation que Torking relata les événements fantastiques qui avaient bouleversé son destin. Tendue vers lui, la fille ne perdait pas un mot de ce qu'il disait. Quand il se tut enfin, avec une expression de triomphe sur le visage, elle détourna la tête. Surpris par cette attitude, lui qui était habitué à la voir rire de tout, il s'exclama :

— Que se passe-t-il ? Pourquoi détournes-tu les yeux ? Tu ne trouves pas miraculeux, mirifique, l'avenir qui s'offre à moi ? J'étais comme un chien, qui aurait été chassé de sa niche, et tout à coup...

Elle l'interrompit :

— En somme, cette Flora Lansford, tu ne sais rien d'elle. Tu ne sais même pas si elle existe vraiment.

Il haussa les épaules.

— Alors, selon toi, c'est un fantôme qui m'a accosté dans la rue ?

Brusquement, elle se signa :

— Tais-toi ! Tu vas attirer le malheur !

— Quel malheur ? Et qu'as-tu à radoter, comme une vieille commère de village ? Tu devrais te réjouir et me féliciter.

Elle s'était adossée contre le mur. Et elle réfléchissait.

— Où habites-tu ? Chez ce John of Montague, toujours ?

— Mais non, Lottie ! Tu n'as pas encore compris que la chance m'avait ouvert les bras ? Mon futur beau-père a mis à ma disposition un ravissant petit hôtel particulier, qu'il a racheté récemment au comte Morranni. Si je m'étais installé chez les Landbridge avant la célébration du mariage, les gens auraient jasé. T'ai-je dit que j'avais trois domestiques pour me servir ?

Elle s'écarta du mur. Et, à pas rapides, se dirigea vers Anthony.

— Et tu ne t'es pas demandé en quel honneur on te prodiguait autant de bienfaits ? Pourquoi on ne t'interrogeait pas sur la vie que tu as menée jadis ? Pourquoi cette Flora Lansford ne se montrait pas, elle qui a tout provoqué ?

Elle l'avait saisi par le bras. Son expression n'était plus celle d'une gamine un peu niaise. Mais celle d'une créature qui ne croit pas aux générosités des humains, sans qu'il y ait de lourdes redevances à payer en retour.

— Non ,Lottie, je n'ai pas cherché à savoir. A quoi bon ?

Elle n'avait pas libéré le bras de Torking.

— Et cette Priscilla ? Comment t'a-t-elle expliqué son désir de t'épouser ?

— Nous n'avons eu que de brefs instants d'intimité, un unique soir. Depuis, il y a toujours eu quelqu'un entre nous. Les convenances... Tous comptes faits, nous ne nous sommes vus que trois fois et d'assez loin.

Têtue, elle répéta :

— Comment t'a-t-elle expliqué son désir de t'épouser ?

— Elle m'a déclaré qu'elle m'aimait !

— Un étranger. Un homme qu'elle ne connaissait pas. Et tu n'as éprouvé aucune surprise ?

— Peut-être m'a-t-elle aperçu dans la rue, un jour. Ou au cours d'un bal...

— Tu m'as dit qu'elle ne quittait guère son fauteuil. Depuis quand ne le quitte-t-elle plus ? De quelle maladie souffre-t-elle ? Et quels sont ces remèdes qu'on lui administre et qui lui donnent des airs... qui inquiètent ?

Sans attendre de réponse, elle proféra :

— Non, non ! Tout cela est trop mystérieux. Ne reste pas à Londres, Anthony ! Sauve-toi, avant qu'il ne soit trop tard.

Il éclata d'un rire strident.

— Tu n'es qu'une bête, Lottie !

Il eut une moue méprisante.

— Allons, renonce à des rôles de tragédienne. Ils

sont contraires à ta nature. Il y a des centaines de filles sur la place de Londres, plus élégantes, plus belles, plus raffinées que toi. Or, je viens souvent sonner à ta porte. Parce que tu m'amuses, parce que tu es une comique, parce que ta vulgarité, tu sais la rendre aguichante.

Elle se taisait.

— Tu es tellement plus drôle, lorsque tu joues à la gamine qui écarquille les yeux, qui dévore des friandises et qui se transforme en une chatte experte, quand on réclame d'elle des caresses.

Brutalement, il l'attira à lui.

CHAPITRE VI

Le lendemain, le brouillard se dissipa enfin, après une nuit toute illuminée d'étoiles. A quatre heures de l'après-midi, un arc-en-ciel géant enjamba la ville. Les toits, les façades des maisons, se teintèrent de rose et de mauve. Dans les quartiers populeux, les marchands ambulants envahirent les rues. Les appels sonores des cochers de fiacres retentirent à nouveau. Près du carrefour d'Oxington, c'était une véritable procession de voitures de toutes sortes. Les chevaux avançaient au pas, avec des arrêts innombrables. Des promeneurs, des promeneuses, sentant flotter dans l'atmosphère des arômes de printemps, s'étaient aventurés dehors. Heureuses de vivre, heureuses d'avoir échappé à la brume malfaisante qui, durant des jours et des jours avait paralysé une cité tout entière, les femmes arboraient des toilettes aux couleurs vives. Prudemment, elles avaient gardé sur leurs épaules leurs palatines de fourrures. Leurs mains se dissimulaient dans la tiédeur d'un manchon. Mais renonçant au noir et au gris, elles avaient abrité leurs visages derrière des voilettes couleur de nacre et d'or. La mode, en 1803, était des plus seyantes. Et les toilettes des aristocrates français, chassés de leur pays par la Révolution, avaient servi de modèles à plus d'un tailleur, à plus d'une couturière. Partout, dans les milieux élégants, on s'efforçait d'imiter Paris. On prétendait que Brummel, le beau Brummel lui-même, ne désavouait pas la façon de s'habiller du comte Armand de Lassagne qui, lui aussi, avait chercher refuge à Londres.

Anthony de Torking, imitant l'exemple de la foule dehors, renonça à mettre un costume sombre. Et le foulard de soie, qu'il noua autour de son cou, était blanc. Son gilet de satin également. Ayant glissé sous son bras une canne à pommeau d'or, il sortit de l'hôtel particulier que le marquis de Landbridge avait mis à sa disposition. Dans la rue, on se retourna sur lui. Sa haute et magnifique silhouette ne pouvait pas passer inaperçue. Avec ses cheveux si blonds, ses prunelles sombres, sa démarche de félin nonchalant, il attirait l'attention... celle des femmes, principalement.

Sans se hâter, il traversa le carrefour et longea un square tout vibrant de musique. Un orchestre chamarré, installé sur une estrade, jouait un quadrille. Les bancs, les chaises avaient été pris d'assaut par une humanité avide d'air et de bruit. Parmi les spectatrices, quelques audacieuses arboraient déjà des chapeaux de paille agrémentés de fleurs et de rubans. L'une d'elles, une brune que Anthony voyait de profil, lui rappela Priscilla de Landbridge. Et brutalement, des pensées, toutes sortes de pensées assaillirent son cerveau. Depuis cette scène au coin du feu, entre Priscilla et lui, pas une fois il ne lui avait été donné de converser avec elle seul à seule. Elle ne se cachait pas. Elle était là, pour l'accueillir. Mais toujours en présence d'étrangers. Redoutait-elle un second tête-à-tête ? Regrettait-elle d'avoir offert ses lèvres à un homme qui ne demandait rien? Ce baiser fougueux, prolongé, Torking ne l'avait pas oublié ! Et soudain, après cet instant de bref abandon, elle était redevenue l'inacessible, l'indéchiffrable... l'inquiétante !

Pour un entretien, tel que le souhait Anthony, l'endroit idéal aurait été le parc. Mais comment suggérer une promenade dans le parc à une femme qu'une force mystérieuse semble river à son fauteuil ? Lui arrivait-il de se lever, pour quelques minutes, pour une heure ? Pourquoi, si c'était d'une grave faiblesse qu'elle souffrait, n'y avait-il jamais de médecin auprès d'elle ? Qui se chargeait de la soigner, de prescrire les médicaments susceptibles de la guérir de cette torpeur qui, par moments, l'isolait du reste du monde ? Malgré lui, il pensa à cette phrase qu'elle avait prononcée : « Il me fallait un rêve, pour peupler mes nuits... et ce rêve, on a voulu que ce soit vous ! »

Il s'écarta de la grille du square. L'arc-en-ciel géant, qui avait enjambé la ville, n'était plus visible. Et le crépuscule, tout doucement, préparait l'approche de la nuit. Un coupé, aux rideaux tirés, passa tout près du trottoir sur lequel se tenait Torking. Sans trop savoir pourquoi, il le suivit des yeux. Tout à coup, la voiture s'immobilisa. Les rideaux s'écartèrent légèrement et une main gantée de noir apparut. Cette main s'agita, avant de laisser tomber sur la chaussée un mouchoir de dentelle, noir lui aussi. Surpris par ce manège, par l'attitude du cocher qui ne s'était pas retourné, Anthony demeura à la même place. Alors, impératifs, impatients, les doigts gantés de sombre lui firent signe d'avancer. Au lieu d'obéir, il fit un pas en arrière.

— My lord !

Il tressaillit. Son regard se posa sur cette main, qui semblait voleter comme un oiseau blessé.

— My lord !

La portière s'était ouverte. Impassible, le cocher attendait.

— Montez, my lord ! Montez vite !

Il aurait pu rebrousser chemin, fuir. Mais il ne fit rien de tout cela. Rapide, il franchit la distance qui le séparait du coupé. Presque aussitôt, la voiture démarra. Les clochettes, qui ornaient la crinière du cheval, tintèrent longuement.

— Qui êtes-vous ?

Il ne connaissait pas cette femme, qui l'avait hélé. Elle était âgée. Ses vêtements austères auraient pu être ceux d'une veuve. Elle ne lui avait pas accordé un regard. Sans un mot, elle s'était emparée du mouchoir qu'il avait ramassé. Et maintenant, silencieuse, buste raidi, les bras croisés, elle fixait le dos massif du cocher.

— Où me conduisez-vous ?

— J'exécute des ordres, my lord. Et je remercie Votre Grâce d'avoir facilité ma tâche.

Il ne tenta plus de la faire parler. Il avait accepté cette nouvelle aventure... alors, à quoi bon des questions, qui ne changeraient rien à un programme sans doute minutieusement établi ? Tout drame, toute comédie au théâtre comme dans la vie, comportent un prologue, un « noyau central », puis un dénouement. C'était le noyau central qui manquait à l'intrigue. Et l'apparition de ce coupé, le signal fait par cette main gantée de noir allaient sûrement résoudre le mystère qui avait bouleversé l'existence de Anthony. Il ne songeait pas à se dire que cette voiture l'emmenait peut-être vers un danger grave. Il savait qu'il n'était plus capable de lutter contre les forces obscures qui régissaient son destin, depuis cette nuit où le brouillard avait envahi la ville... et où tout paraissait surnaturel et diabolique.

Quand le cocher immobilisa son cheval, quand les

clochettes émirent un autre tintement strident, Torking se redressa.

— Voici la maison où vous êtes attendu, my lord. On n'a pas enfermé les chiens. Je suis là et ils ne vous feront aucun mal.

Le cocher, ayant quitté son siège, ouvrit la portière. Quelque part, dans un coin du parc, un aboiement rauque résonna. Puis, ce fut un piétinement rapide. Et le silence.

— Que Votre Grâce se méfie, sur le bas-côté de l'allée, les buissons sont criblés d'épines malfaisantes.

Elle avait relevé légèrement un pan de sa jupe, comme pour enjamber des flaques d'eau. Elle était grande, massive. Le corset qui emprisonnait sa taille devait être tyrannique, car son souffle était pesant. Elle prit une clef dans sa sacoche. La porte en s'écartant dévoila un hall, où tout était vert : les murs, le velours des meubles, le carrelage. On était saisi par la brutalité de ce vert qui faisait songer à un sous-bois en pleine floraison.

— Par ici, my lord.

Il pénétra dans un salon. Là, tout était rose. Même les chandelles, qui scintillaient déjà.

— Je vais avertir lady Manse.

Elle s'éclipsa. Dans le parc, les aboiements avaient repris, plus rapprochés, plus furieux. Mâchoires crispées, Torking détailla le décor.

— Bonsoir, my lord.

Il se retourna. Son cœur battait avec sauvagerie. Une femme se tenait devant lui. Cette femme était Flora Lansford !

— Je savais que vous viendriez, duc de Torking. Et je suis sûre que, plus d'une fois, vous avez pensé à moi... dans la peur, sans doute, dans l'incertitude... car vous vous demandiez si j'existais vraiment.

Elle n'avait plus la même voix. Son visage ne ressemblait plus à un masque de satin blanc. Elle ne portait plus cette pèlerine de nonne, ornée d'un capuchon. Mais le cœur de Anthony continuait à scander une symphonie barbare.

— Je vous ai dit que je m'appelais Flora Lansford. J'aurais dû ajouter que personne, à Londres, ne me connaît sous ce nom.

Elle ne lui avait pas offert de s'asseoir. L'autre nuit, car il aurait juré que tout cela s'était passé hier, elle lui avait paru plutôt petite et irréelle, à présent il la découvrait telle qu'elle était réellement : longue et élancée, avec des cheveux d'un châtain très doux, des yeux gris pailletés de fauve.

— Depuis mon départ de Sarley et grâce à l'or que vous m'aviez donné, j'ai pu attendre des jours meilleurs. Sans me hâter, j'ai cherché un emploi.

Elle parlait avec un indéfinissable accent et qui n'était pas celui de Londres.

— Lord Manse, un homme âgé et solitaire, avait besoin d'une gouvernante. Il m'a épousée, quelques semaines avant sa mort. Cette mort m'a émue, je m'étais attachée à lui.

Sa robe était en moire brune, à larges rayures beiges. Un col en organdi, très ample, formait comme deux ailes à l'endroit de ses épaules.

— Ne voulant pas rester à Suffolk, où rien ne me retenait plus, je suis partie pour Londres, où habitait une cousine de mon mari.

Elle fit quelques pas dans la pièce, suivie par le bruissement de sa jupe.

— Elle m'a aidée de ses conseils, elle m'a introduite dans son cercle d'amis. C'est ainsi que j'ai été invitée chez les Landbridge et que j'ai inspiré de l'affection à Priscilla.

Elle s'avança vers Torking. Il sentit son parfum, un mélange de fleurs, si léger, si tenace également.

— Priscilla... comment vous la « résumer » ? Comment vous la dépeindre ? Il faudrait quelqu'un de plus subtil, de plus intelligent que moi. On ne peut pas la définir, la garder près de soi, elle s'évade sans cesse... et elle vit dans une prison !

Il ne disait rien. Il devinait qu'il allait apprendre un mystère qui, peut-être, bouleverserait ses plans et l'obligerait à battre en retraite.

— Je lui ai parlé de vous, sans lui révéler dans quelles circonstances vous étiez venu à mon secours. Chaque soir, parce que je la voyais chaque soir, il n'était question que de vous ! Pouvais-je soupçonner qu'elle ferait de vous un héros, qu'elle ferait de vous son rêve et que vous seriez son premier désir ?

Ses yeux ne quittaient pas le visage de Torking.

— Elle m'a suppliée de vous retrouver. Pour elle, vous n'étiez pas un étranger. Et elle vous espérait, comme on espère le retour d'un amant !

Elle était tout près de lui.

— Je vous ai cherché, inlassablement ! Pour vous conduire vers Priscilla de Landbridge et aussi, pour vous remercier une fois encore.

Il y eut comme une brisure dans sa voix.

— Ne m'aviez-vous pas soustraite à la colère de femmes déchaînées, qui s'apprêtaient à me marquer pour la vie ?

Elle avait un cou très long. Malgré lui, Torking songea à la gorge lisse et bombée d'un cygne.

— Un soir, enfin, le hasard m'a servie. J'ai appris que le jeune marquis of Montague vous avait offert l'hospitalité. J'ai su également que vous étiez ruiné et que cette chambre que vous occupiez, il vous faudrait la libérer très bientôt.

Elle se tut. Et il ne lui posa pas de questions, par crainte de se trahir. Pour elle, il était un personnage de légende, un farouche redresseur de torts, un preux chevalier qui avait distribué à des miséreux ses terres et ses richesses. L'envie de sourire, l'envie de rire aux éclats, s'emparait de Torking à l'idée du rôle qu'on lui attribuait. Lui, le cynique, le nomade de l'amour, le séducteur cruel, cette créature romanesque et stupide en avait fait un saint ! Tout cela parce qu'un jour à Sarley, après une partie de chasse suivie d'un festin trop copieusement « arrosé », il avait emprunté l'équipage d'un quelconque dandy ! Il se souvenait vaguement qu'une fille s'était précipitée vers la voiture, au risque d'être blessée par les sabots des chevaux. A cette fille qui sanglotait, il avait remis des pièces d'or. Lui ! Après tout, c'était possible. Il devait être ivre, ivre à ne pas pouvoir tenir debout.

— Priscilla, à laquelle je contais toujours la même histoire, a fini par vous aimer. Petit à petit, sans s'en rendre compte. Elle a éprouvé d'abord de l'admiration pour vous, puis de la tendresse. Et un jour...

Pourquoi eut-il l'impression tout à coup que la voix de Flora Lansford, devenue lady Manse si vite, sonnait faux ?

— Un jour, elle m'a avoué qu'elle avait besoin d'une épaule d'homme près de son épaule, d'une voix d'homme, de caresses. De vos caresses, Torking !

Elle regarda Anthony dans les yeux.

— De cette créature silencieuse, repliée sur elle-même, j'avais fait une passionnée. A vous maintenant d'en faire une femme comblée, une femme heureuse !

Elle se pencha vers lui.

— Car elle vous a conquis, n'est-ce pas, conquis sur-le-champ ?

Il ne broncha pas. Il n'avait pas prononcé un mot, depuis le début de cette scène étrange. Il eut la force de ne rien dire... et d'attendre.

— Vous ne m'en voulez pas d'avoir organisé ce

complot ? D'avoir choisi une nuit où le brouillard changeait l'aspect de Londres, pour surgir devant vous ?

Elle mordit ses lèvres, nerveusement, avant de poursuivre :

— J'ai pensé que mon apparition subite au cœur de cette brume, produirait un choc en vous...

— Et vous avez eu recours à une véritable mise en scène, des plus fantasmagoriques.

— Oui ! Pour que vous acceptiez mon aide !

— Et cette aide se prénomme... Priscilla de Landbridge ?

— Elle vous aime. Elle ne demande qu'à partager avec vous son immense fortune. Je sais que l'argent ne vous intéresse pas, je sais que vous êtes noble et généreux. Mais l'existence vous a meurtri, cruellement, injustement.

Il la prit par les poignets et l'attira à lui.

— Est-ce à vous que Landbridge a demandé des renseignements sur mon compte ?

— Oui. A moi.

— Et vous ? De qui les teniez-vous ?

— Je n'ai interrogé personne. Il me suffisait de me souvenir de Sarley. Les gens sont envieux, méchants. Et vous êtes beau, Torking... vous devez donc avoir beaucoup d'ennemis !

Etait-elle niaise à ce point ? Ou bien poussait-elle la gratitude jusqu'à l'aveuglement ? Ou bien alors... quel jeu jouait-elle ?

— Désirant avoir une conversation avec vous, j'ai chargé ma domestique...

— Une main gantée de noir, un mouchoir qu'on laisse tomber sur la chaussée... tout pour frapper mon imagination, lady Manse !

— Je n'ai songé qu'à votre bonheur.

— Et, selon vous, mon bonheur c'est Priscilla de Landbridge ?

— Oui, Torking, oui ! Vous seul saurez la comprendre et ne la ferez pas souffrir.

Ils se regardèrent. Longuement. Les doigts de Anthony avaient libéré les poignets de la femme. D'un ton étrange, il murmura :

— La souffrance va de pair avec l'amour.

— Ne l'enseignez pas à Priscilla !

Il sourit.

— Je ne puis rien lui enseigner, ma chère. Il y a toujours du monde autour de nous.

Il s'écarta d'elle et s'approcha de la cheminée. Elle le voyait de dos.

— Mais demain, je l'entraînerai vers le parc et tous les deux...

Brusquement, il s'interrompit et se retourna, à cause du fracas derrière lui. Il aperçut sur le parquet des morceaux de cristal. Et il entendit la voix de lady Manse, étrangement assourdie, qui disait :

— Ce n'est rien. J'ai heurté cette table et un vase s'est brisé.

A cette seconde précise, des aboiements retentirent sous la fenêtre. Et Torking remarqua que, dehors, c'était déjà la nuit...

CHAPITRE VII

Elsie, la gouvernante de Priscilla, traversa le couloir qui aboutissait à l'aile gauche de la maison et pénétra dans une vaste pièce, surnommée « le hall des domestiques ». C'est en effet dans cette salle, pareille au réfectoire d'un couvent, qu'ils prenaient leurs repas et s'accordaient quelques moments de détente. Une porte à doubles battants permettait d'accéder à la cuisine. Quand Elsie franchit le seuil du hall, son mari, Thomas, le majordome, était en train de vérifier le livre de comptes de la semaine.

— Qu'y a-t-il ? Pourquoi as-tu cet air anxieux et mécontent ?

Elsie ne répondit pas tout de suite. Elle se sentait trop nerveuse. Enfin, s'étant assurée que personne ne pouvait les entendre, elle s'écria :

— Ils l'obligent à absorber trop de drogues, trop de poudres ! Un jour, ils la tueront !

Thomas lui fit signe de baisser de ton. Il avait une âme d'esclave fidèle et il estimait que son rôle sur cette terre, comme celui d'Elsie, comme celui des autres serviteurs, était d'obéir aveuglément aux ordres reçus, sans les critiquer, sans en chercher les points faibles.

— Cette nuit, elle a parlé en rêve. Et sais-tu qui elle a appelé ? Ce Torking ! Ce duc Anthony de Torking !

— Il est son fiancé, Elsie. Elle pense à lui, toujours. Quoi d'étonnant ?

Soudain, changeant de sujet, la gouvernante interrogea :

— Où sont-ils, tous ? La cuisine, l'office sont déserts.

— Le maître leur a donné congé jusqu'à ce soir. Il y a une fête à Parrington. Et toi, tu devrais te reposer, pendant une heure au moins. Puisque la maison est vide, puisque tout est calme.

— Et si elle a besoin de moi ?

— Elle a dû s'endormir, Elsie. Elle ne t'appellera pas.

Elle semblait inquiète.

— Elle n'a pas voulu s'étendre sur son lit. Elle n'a pas voulu que je l'aide à se déshabiller. Elle a refusé de mettre son peignoir. Elle m'a interdit d'allumer le feu. Et elle a de nouveau son expression absente, tu sais, comme si elle n'était pas parmi nous.

— Tu exagères, Elsie !

Elle ôta son tablier qui cerclait sa taille épaisse.

— Depuis que cette lady Manse est devenue son amie, les choses ont empiré. Oh, toi, tu ne vois rien. Mais moi, qui observe tout, qui surveille tout...

— Tu ferais bien de surveiller tes nerfs, qui te tracassent.

— Je ne suis pas tranquille, Thomas. Ce duc de Torking, il m'intrigue. Il est si beau... et on jurerait que toute cette beauté, c'est le diable qui la lui a donnée, afin qu'il sème le malheur partout où il passe !

— Tu perds la tête, Elsie ! Tu parles trop. Bientôt, le duc de Torking sera chez lui, ici.

— « Bientôt » n'est pas aujourd'hui. Ce n'est pas

demain non plus, Thomas. Tout peut changer, encore.

— Vas-tu te taire, oui ou non ?

Elle n'écoutait pas. Pour elle-même, elle dit :

— Et le maître qui est parti pour Lodds !

— Il sera de retour dans le courant de la nuit. En voilà des histoires ! Sois raisonnable, monte te reposer un instant.

— Et toi ?

Il mentit :

— Je vais rester là.

— Je croyais que tu devais aller quérir le vétérinaire pour l'un des chiens qui était tombé malade.

Il mentit encore :

— Rien ne presse.

Elle n'hésita plus. Elle se sentait lasse, affreusement. Elle sortit de la salle. Thomas attendit quelques minutes, avant de s'éclipser à son tour.

Dans sa chambre, Priscilla de Landbridge ne dormait pas. Blottie sur le divan, elle tenait entre ses mains un livre dont la lecture n'avait éveillé en elle aucun écho. Elle était heureuse d'être délivrée, pour un temps même court, de la présence tyrannique de Elsie. Le silence dans la maison lui prouvait que personne ne viendrait rôder dans le couloir, afin de s'assurer que son souffle était régulier, que la fièvre ne marquait pas de rouge sur ses pommettes. Les flammes ne crépitaient plus dans la cheminée. Une unique chandelle éclairait la pièce aux rideaux tirés. La robe de Priscilla de Landbridge était en fin lainage gris argent, avec des manches bouffantes, un corsage taillé en forme de corselet et orné de lacets de velours noir. Trois minces bandes de velours noir garnissaient le bas de la jupe. Ses cheveux sombres, elle les avait disposés en boucles lâches et soyeuses sur le sommet de sa tête.

Soudain, désirant changer de position, elle eut un

mouvement assez brusque et le livre glissa sur le tapis. Elle n'eut pas la tentation de le ramasser. Si elle voulait poursuivre sa lecture, il lui fallait allumer d'autres chandelles. Et elle trouvait cette demi-clarté des plus apaisantes. Elle ne bougea donc pas. Elle n'essaya pas de lutter contre la torpeur qui, lentement, imperceptiblement, s'emparait d'elle, alanguissant son corps, freinant le travail de son cerveau. Elle ne savait plus où elle était, où commençait le rêve et où finissait la réalité. Elle avait l'impression d'être une nuée, un oiseau de légende, une brise accourue de la mer. Il lui semblait qu'elle était une elfe, une ballerine aux entrechats prodigieux. Le tic-tac de la vieille horloge sur la cheminée, scandait cette danse qu'elle exécutait en songe. Un... deux... trois... Un... deux... trois.

Tout à coup, Priscilla se redressa. Ses paupières se soulevèrent. Ce bruit, dehors, ne faisait pas partie de son rêve. C'était un bruit de pas rapides, plus précis de seconde en seconde. Les yeux fixés sur la porte, elle attendit. Ce ne pouvait pas être Elsie ! Alors qui ? Brusquement, la porte s'ouvrit toute grande. Et une haute silhouette parut surgir de la pénombre qui régnait dans le couloir. La silhouette d'un homme... un homme qui était le duc Anthony de Torking ! D'un geste effrayé, Priscilla appliqua ses doigts sur sa bouche. Mais elle ne cria pas, elle n'appela pas lorsque, ayant refermé la porte, Torking s'avança vers elle.

— Je vous ai fait peur ? Vous dormiez et je vous ai réveillée, brutalement !

Une à une, il alluma toutes les chandelles qui ornaient le chandelier géant. Et Priscilla de Landbridge fut comme inondée de lumière. Elle teinta de fauve ses cheveux, ses cils. Elle révéla sa pâleur, son émoi et l'angoisse qu'exprimaient ses doigts appuyés sur sa bouche.

— J'ai guetté le départ de vos domestiques, puis

celui de Thomas, avant de me risquer à l'intérieur de cette maison.

Elle fixait l'œillet blanc qui ornait la boutonnière de Torking. La vue de cette fleur semblait l'hypnotiser.

— Un voleur n'aurait pas pris plus de précautions.

Il se demandait ce qu'elle regardait ainsi et pourquoi elle se taisait.

— Or, je ne venais pas pour voler, Priscilla. Puisque votre cœur, vous me l'avez offert vous-même.

Lentement, elle fit glisser ses doigts le long de son menton et les joignit sur son cou.

— Dites-moi, est-ce vous qui avez dressé ces obstacles entre nous et exigé que jamais nous ne soyons seuls ? Est-ce vous, Priscilla ?

Elle fit oui de la tête.

— Pourquoi ? Que redoutiez-vous ?

Son ton devint plus pressant.

— Vous souvenez-vous de ces instants, hélas trop brefs, que nous avons passés un soir au coin du feu ? N'auraient-ils pas dû vous rassurer ?

Il se tenait près du divan, auquel semblait rivé le corps de Priscilla.

— Ce n'est pas moi qui ai mené l'action, pas moi qui ai trouvé les répliques de notre dialogue, pas moi qui ai mis fin à la scène.

Elle rougit. Une rougeur subite, violente.

— C'est vous, Priscilla ! Ce sont vos mains, brûlantes à cette minute-là, qui ont emprisonné mon visage. Ce sont vos lèvres qui ont cherché les miennes. Et c'est vous qui avez voulu que ce baiser demeure inoubliable !

Il s'assit sur le divan.

— En vous quittant ce soir-là, j'étais comme fou. J'ai failli revenir sur mes pas, afin de frapper, de chasser les comparses stupides qui étaient venus interrompre notre intimité.

Il se pencha vers elle.

— Dans la rue, tandis que je marchais au hasard, votre image me suivait. Vous étiez dans mes bras, blottie sur ma poitrine. Mais cette fois-ci, ayant devancé votre geste, c'était moi qui avais pris votre bouche, moi qui la meurtrissais toute. Et vous... et toi, tu gémissais de bonheur !

Elle avait appuyé sa nuque sur un coussin. Elle respirait très vite. Ses seins, durs et pointus, soulevaient son corsage.

— Priscilla, tu prétends m'aimer. Et tu me fuis. Aurais-tu peur... de l'amour ?

De sa tempe, il caressait le cou, le menton de la femme. Il savait qu'elle attendait, que des frissons parcouraient son corps.

— Comme tu trembles, ma colombe !

Ce n'était plus la tempe de Torking, qui effleurait le cou, le menton de Priscilla, mais ses lèvres. Et elles étaient plus brutales, plus exigeantes. Quand elles s'appesantirent sur celles de Priscilla, elle tenta de se dégager, de repousser l'homme.

— Lâchez-moi !

Ses cheveux, que ne maintenaient plus en place ni peignes, ni épingles, s'étaient déroulés sur ses épaules. Avec ses yeux brillants, ses pommettes fiévreuses, sa chevelure éparse, elle avait l'air d'une bacchante.

— Lâchez-moi !

Elle ne réussissait pas à se libérer. La poitrine de l'homme écrasait la sienne. Ses tempes bruissaient. Elle ne savait plus ce qu'elle éprouvait, ni ce qu'elle souhaitait. Elle savait seulement que si elle n'éloignait pas de sa gorge à demi nue, la bouche de Torking, si douce, si cruelle... elle serait perdue ! D'un élan désespéré, elle parvint à se dégager. Puis, de sa main grande ouverte, elle le frappa au visage.

Il s'écarta d'elle. Durant plusieurs secondes, leurs regards demeurèrent enchaînés. Enfin, il parla :

— Je suis une brute. J'ai oublié qui tu étais. J'ai perdu la tête. Mais cela ne se reproduira plus. Je te le jure.

Il se mit debout.

— Me pardonneras-tu, Priscilla ? Pourras-tu me pardonner, un jour ?

D'un mouvement furtif, elle avait boutonné son corsage. Ses paupières étaient baissées. Elle ne vit donc pas l'étrange sourire du duc Anthony de Torking.

— Je t'ai fait peur, ma pauvre petite colombe. Et j'ai honte, à présent.

Son sourire avait disparu. Et sa voix, humble et suppliante, avait des accents de berceuse.

— Comme tu dois me haïr !

— Vous haïr ? La coupable, c'est moi. Si ce soir-là, au coin du feu, je ne vous avais pas laissé croire...

Elle n'acheva pas sa phrase. Ses paupières étaient toujours baissées.

— Priscilla...

Sans bruit, Torking avait gagné l'autre bout de la pièce.

— Pour me prouver que rien n'est changé entre nous, que tu ne me méprises pas, accorde-moi une faveur ?

Il se tenait près de la porte. Il n'aimait pas cette femme. Sans doute ne l'aimerait-il jamais. Mais pour lui, qui ne possédait plus rien, elle symbolisait la sécurité, la richesse, la toute-puissance. Et ces trésors, il était décidé à les accaparer et à les sauvegarder coûte que coûte. Aujourd'hui, il s'était montré brutal à dessein. Pour que cette scène, violente, marque Priscilla, se grave dans sa mémoire. Aucun homme encore ne l'avait traitée de la sorte, comme une fille. Cela l'avait déroutée, effrayée... fait frémir. En le frappant, elle avait agi non pas sous l'empire de la colère, de la révolte, mais de la passion qui s'était brusquement réveillée en elle et qu'elle se refusait à montrer !

— Quelle faveur ?

Il s'adossa contre la porte. Et, très vite, il dit :

— Une voiture m'attend devant la grille. Ne restons pas ici. Viens. Dans le bois de Maine tout proche, il y a une allée, déserte presque toujours. Là-bas, nous serons seuls. Totalement, merveilleusement...

Les yeux grands ouverts, elle le fixait d'un air angoissé.

— Je te tiendrai par la taille, ma mie. Nous parlerons de notre avenir. Nous rêverons...

La flamme de l'une des chandelles, devenue longue et fumeuse, dégageait une odeur d'encens.

— Lève-toi ! Et viens vers moi, Priscilla. Prouve-moi que tu m'as pardonné ?

Elle ne bougea pas. L'angoisse en elle était presque palpable.

— Si tu ne m'obéis pas, je m'en irai. Je disparaîtrai de ta vie. Et tu ne me reverras plus. Plus jamais !

Elle fit non de la tête.

— Tu refuses ? Tu refuses, mon cœur ? Alors, je vais te quitter.

Il saisit le loquet de la porte. Il le tourna. Et alors, brusquement, Priscilla de Landbridge se mit debout !

Elle était longue, mince, avec le buste splendide d'une fille des îles, des hanches épanouies. Immobile, toute droite, elle semblait de marbre.

— Priscilla...

Il tendit ses mains vers elle.

— Viens.

Elle avança. Un pas... deux pas... Elle était livide. Elle fit un pas encore. Et un autre. Puis ses doigts, affolés, cherchèrent ceux de Torking. Et, lourdement, elle s'abattit sur sa poitrine...

CHAPITRE VIII

Les jours passèrent. Les pelouses du petit square, où un orchestre venait s'installer si souvent, étaient couvertes d'un gazon dru, plein de sève et de vie.

Ce mardi-là, John of Montague avait décidé de ne pas s'installer devant une table de jeux. Depuis de nombreuses années, chaque mardi, il ne lui arrivait que des aventures fâcheuses. Il préférait donc choisir un autre jour de la semaine pour risquer son argent dans un tripot. Pourtant le « Cambridge », où il s'était juré de n'être qu'un spectateur, n'avait rien d'un tripot. Loin de là. Un émigré français, le comte Guy de la Maulière, avait transformé le sous-sol de son hôtel particulier en un club des plus discrets, des plus élégants, des plus fermés. En effet, n'y pénétrait pas qui voulait. Et pour avoir le privilège et l'autorisation de franchir le seuil d'un tel sanctuaire, il fallait appartenir au clan des « élus » et fournir de solides garanties.

On chuchotait que le comte Guy de la Maulière se livrait à des activités politiques clandestines, qu'il préparait la spectaculaire restauration de la royauté en France et l'écroulement non moins spectaculaire du régime établi par Napoléon. Mais tout cela se chuchotait, se colportait sans preuve aucune. En attendant, on jouait gros dans ce sous-sol où il était de bon ton de parler le français.

Quand John of Montague pénétra dans la salle, les jeux avaient débuté depuis longtemps. La fumée des cigarettes formait dans la pièce des nuées mouvantes et bleutées. Elle s'enroulait autour de la flamme des chandelles. Elle formait comme un second plafond. Le silence étant de rigueur pendant le whist, personne ne prononçait un mot.

Sans se hâter, Montague visita, l'une après l'autre, les trois salles qui composaient le sous-sol. Plusieurs valets en livrées pourpres, de véritables colosses, vidaient les cendriers, escamotaient les chandelles mortes pour les remplacer aussitôt. On avait l'impression que rien ne les intéressait, en dehors de ces tâches qu'ils accomplissaient presque mécaniquement. En réalité, ils écoutaient les propos échangés dans les couloirs, ils observaient tout, ils inscrivaient tout dans leur mémoire. Essayaient-ils de recruter, comme on le prétendait, des volontaires pour la lutte que le comte de la Maulière et ses partisans menaient contre l'usurpateur... Napoléon ?

John of Montague, qui se préoccupait beaucoup plus des changements de la mode que des changements de dynasties, venait au « Cambridge » afin de se distraire et non rêver à des actes de bravoure.

Dans la troisième salle, la plus vaste, toutes les tables étaient prises, elles aussi. Le duc Anthony de Torking trônait derrière l'une d'elles. Là, la partie ne faisait que commencer. Torking était le donneur. D'un geste expert, en partant de la gauche, il distribua treize cartes à chacun des joueurs. La dernière carte, il la retourna. Elle lui revenait. Elle constituait l'atout. Mais il ne devait pas la placer dans son jeu avant la deuxième levée. Torking n'avait pas aperçu Montague, qui s'était immobilisé devant la porte. John, de retour d'Ecosse après un long voyage, avait regagné Londres la veille seulement et les deux hommes ne s'étaient pas encore rencontrés. Machinalement, il nota le costume qu'arborait Anthony, en drap très fin, couleur bleu de nuit. Pour la première fois peut-être, il constata à quel point Torking était beau ! Un tel habit, d'une coupe aussi insolente, personne à Londres n'aurait osé le mettre. Les revers de la veste étaient de satin. La chemise à col « moussant » en dentelle d'Irlande blonde. Et l'œillet blanc, fixé à la boutonnière, ressemblait de loin à une décoration géante. Deux des trois partenaires de Anthony étaient des Français. Ne jouait-on pas au whist en France, sous Louis XIV déjà ?

Posté devant la porte, John assista aux six premières levées. Elles ne comptaient pas pour le camp qui les réussissait. A partir de la septième, chacune des levées appelées « trick » valait un point. L'as, le roi, la dame et le valet étaient les « honneurs ». Et Montague se demanda si Anthony, qui paraissait très nerveux ce soir-là, aurait les honneurs. Il avait hâte que la partie soit terminée. Il désirait poser tant de questions à Anthony et lui conter tant de choses ! Quand soudain Torking leva sa main d'un mouvement saccadé pour montrer les cartes en sa possession, quand l'un des joueurs eut comme un sursaut, Montague sortit précipitamment de la salle. Anthony ne l'avait pas vu.

Rapide, John traversa un couloir étroit et s'engagea dans l'escalier. Au rez-de-chaussée, un petit salon était aménagé en fumoir. Epris sans doute des choses de l'Orient, Guy de la Maulière avait voulu que cette pièce soit d'inspiration persane. Le tapis à lui seul était une œuvre d'art digne d'un musée. Son exécution avait exigé sûrement des années d'un travail minutieux et empreint d'une envoûtante poésie. Le divan, en forme de demi-cercle, les sièges bas sans dossiers, les coussins à profusion et une indéfinissable senteur, peut-être celle d'une essence précieuse mêlée à du tabac blond, donnaient l'impression d'un décor loin du monde, dans un pays où tous les rêves sont exaucés...

Un rideau séparait le fumoir du buffet. Là, ceux qui avaient gagné et ceux qui avaient perdu pouvaient soit chercher l'oubli, soit célébrer leur victoire en buvant du gin, du brandy, du rhum, ou du champagne. John, qui avait soif, s'apprêtait à faire signe à l'un des valets qui, alignés le long du mur, ressemblaient étrangement à un peloton d'exécution, lorsqu'un bruit de voix parvint jusqu'à lui. Sans trop savoir pourquoi, il se réfugia derrière une colonnade. Presque aussitôt, plusieurs hommes apparurent. Montague les connaissait de vue. Ils portaient tous des noms illustres. Tous étaient riches, puissants, et leurs titres de noblesse ne se comptaient plus. Jeremy de Winfrid, le plus âgé, était l'ami et le conseiller du duc Austin de Talborough.

— Dites-moi, mon cher, cet individu à la table 5... comment s'appelle-t-il, déjà ?

— Torking. Anthony de Torking.

— Comment a-t-il réussi à s'insinuer parmi nous ? Avec quelle lettre de recommandation ? Et depuis quand Guy de la Maulière accueille-t-il sous son toit le... le premier venu ?

Jeremy de Winfrid pétrissait entre ses doigts effilés sa tabatière en or massif.

— Si des passants, des inconnus doivent envahir ce club, je donnerai ma démission. Il faut avouer que Guy de la Maulière a fait preuve d'une inadmissible imprudence en autorisant ce... cet étranger à franchir le seuil de son hôtel. Je ne m'explique pas les raisons qui l'ont guidé. Dernièrement encore, il a refusé l'entrée à Alfred de Gomery !

— Je suis de votre avis, ce Torking a vraiment une chance au jeu des plus insolentes. On jurerait que le démon est son allié !

Jonathan de Fair, un géant à chevelure rousse, au visage rappelant celui de Danton, avait prononcé cette phrase d'un ton léger. Mais son expression était méfiante. Et ses poings énormes, criblés de taches de soleil, étaient crispés.

— Ce soir, il a littéralement « dépouillé » ses partenaires. Ce pauvre Luc de Forges sera obligé de rentrer chez lui à pied.

Retenant son souffle, devinant que le drame se rapprochait de Torking, Montague écoutait.

— Aurait-il triché, par hasard ?

Cette question de lord Temsworth, un personnage très grand, très maigre, aux allures de prophète, tomba lourdement au milieu de la conversation, comme une énorme pierre s'abattant sur une surface de cristal.

— Chut, mon cher Temsworth ! Ces choses-là, on les pense. On ne les dit pas.

— Pourquoi ne les dirait-on pas ? Ce Torking serait-il protégé ? Très protégé ? Et...

Jonathan de Fair l'interrompit :

— Vous avez été absent de Londres pendant de longs mois. Vous ignorez donc que Torking...

Il regarda autour de lui. Puis, brusquement, il se mit à chuchoter :

— ... Que Torking est doué d'un pouvoir extraordinaire !

— Celui d'escamoter les cartes qui le gênent ?

— Non. Celui de faire des miracles !

Ayant renversé sa tête en arrière, lord Temsworth éclata d'un rire strident. Mais les autres, tous les autres, avaient gardé leurs expressions sérieuses, presque inquiètes. Charles Morrey, un jeune au physique de troubadour, murmura :

— Jonathan ne ment pas.

Lui aussi parlait d'une voix assourdie, comme empreinte de peur.

— Une femme, que les médecins avaient déclarée inguérissable et qui était condamnée à une immobilité totale depuis des années...

Il marqua une pause, comme au théâtre, avant d'enchaîner :

— ... s'est levée tout à coup et a marché ! Oui, elle a marché ! Et depuis, depuis une éternité, elle était rivée à son fauteuil d'infirme.

Jonathan approuvait, par des hochements saccadés de la tête. Les autres se taisaient.

— Elle a marché ?

Temsworth fronça ses sourcils broussailleux. Il ne croyait pas aux miracles et tout ce qui touchait à la magie lui inspirait une épouvante incontrôlable. Afin de dissimuler cette épouvante, il prit le parti de hausser les épaules.

— Quelles balivernes me contez-vous là ? D'après vous, le sieur Torking serait capable de redonner de la vie aux jambes d'une paralytique ?

— Ce n'était pas de la paralysie, Temsworth. Mais une chute malencontreuse, au cours d'une promenade à cheval dans la montagne.

A cet instant, Guy de la Maulière fit son apparition. Il était presque aussi grand que Jonathan de Fair. Mais sa silhouette n'offrait rien de lourd. Son corps était admirablement proportionné et il y avait une grâce hautaine dans le moindre de ses gestes. Il parlait plusieurs langues et était un escrimeur redoutable. On ne se trompait pas, en prétendant que ce cercle de jeux qu'il dirigeait n'était qu'une façade et qu'il se livrait secrètement à d'autres activités, d'ordre politique celles-là. Cet hôtel particulier qu'il s'était décidé à transformer en un club des plus select, il l'avait fait construire bien avant l'écroulement de la monarchie en France. Sa mère était de souche anglaise, il se rendait fréquemment à Londres, où il possédait de nombreux amis. Son temps, il le partageait entre l'Angleterre et la France. Il connaissait le « Tout-Londres » sur le bout des doigts. On ne pouvait imaginer de bal ou de fête sans lui, sans ses traits d'humour, sans les anecdotes qu'il avait rapportées de Paris. Ce Paris, où il rêvait de revenir.

— De qui s'agit-il, messieurs ?

Il s'était approché du groupe, dont Jonathan de Fair occupait le centre. Ses « clients », il les traitait avec une familiarité un peu condescendante. Temsworth se tourna vers lui.

— De Torking !

Guy de la Maulière eut un imperceptible mouvement de recul.

— Torking ? Il intéresse beaucoup de gens, ce me semble. Se serait-il livré aujourd'hui à quelque nouvelle extravagance ?

Charles Morrey résuma leurs pensées à tous.

— Nous étions en train de nous demander pourquoi ce gentleman faisait partie de notre club.

— Il m'a été recommandé. Très chaudement. Je ne pouvais que l'accueillir. Que lui reproche-t-on ? Des fautes graves ?

Voyant leurs airs de gêne, il déclara :

— C'est un homme fort séduisant, riche, et il est le mari d'une femme... extraordinairement belle !

Cette phrase, il l'avait prononcée d'une voix assourdie. Ils le regardèrent avec plus d'attention, sentant qu'il leur cachait quelque chose. Un secret, que sans doute il ne leur confierait jamais ! Après un silence de plusieurs secondes et qu'aucun d'eux ne se hasarda à rompre, Temsworth s'exclama :

— Alors, la « miraculée »... ce serait elle ?

La Maulière tressaillit.

— Oui. Elle. Les médecins avaient renoncé à la soigner. Et l'Amour a triomphé, là où la science a échoué !

De nouveau, Temsworth haussa les épaules.

— L'amour ? Allons donc ! Je n'en crois rien. Les os brisés se sont ressoudés d'eux-mêmes et...

Guy l'empêcha de continuer.

— Il est possible que la nature ait fait son œuvre. Mais la gloire, c'est Torking qui l'a récoltée.

Temsworth détourna les yeux. Tout cela était tellement fantastique, tellement déconcertant ! Et la personnalité trouble du duc Anthony de Torking rendait cette histoire plus mytérieuse encore.

— Qui a-t-il épousé ?

Les lèvres du Français se crispèrent. Il attendit, avant de jeter d'un ton bref :

— Priscilla de Landbridge. Une brune, qui a le charme d'une Orientale. Une pure merveille.

Oubliant qu'il se trouvait dans un endroit où tout ce qui se disait était répété aussitôt, Temsworth s'écria :

— C'est un tricheur !

Jonathan de Fair intervint :

— Attention, mon cher ! Méfiez-vous des opinions que vous émettez en public. Les murs ont des oreilles. En somme, nous ne possédons aucune preuve. Nous supposons... il y a une nuance.

Refusant de se tenir pour battu, Temsworth enchaîna :

— Un tricheur ! Et certainement un lâche !

Caché derrière la colonnade, John of Montague

regrettait de ne s'être pas enfui dès le début de cette conversation.

— Pourquoi ne dites-vous pas tout cela à Torking ? Vous verrez bien s'il sait se battre.

La Maulière avait posé sa main sur le bras de Temsworth, en prononçant ces mots.

— J'ignore pourquoi vous prenez sa défense, Guy. Il fera tout pour éviter un duel et vous le savez bien !

La voix de lord Temsworth tremblait de colère. Toujours aussi calme, la Maulière murmura :

— Essayez ! Tentez votre chance. Il a beaucoup d'ennemis et personne n'ose l'attaquer ouvertement.

— Pour quelle raison le protégez-vous ?

Guy ne répondit pas. Des reflets sombres étaient apparus dans ses prunelles d'un bleu extraordinairement clair. Sa chevelure, aussi noire que celle d'un gitan, contrastait avec cette clarté dans ses yeux. Il y eut un autre silence. Et tout à coup, à brûle-pourpoint, Fair interrogea :

— Trompe-t-il sa femme ?

Aucun muscle du visage de Guy ne tressaillit. Mais il était devenu très pâle.

— Quelle question ! Et comment y répondre ?

Jeremy de Winfrid attaqua à son tour :

— Il ne possédait rien, avant son union avec Priscilla de Landbridge ! Il avait dilapidé toute la fortune amassée par ses parents. Et soudain, il remonte la pente, il s'insinue chez les Landbridge. Il séduit la fille, il gagne la confiance du père. Quand on y réfléchit...

Il eut un petit rire nerveux. Puis, sa voix monta.

— Quelqu'un s'est chargé de le présenter aux Landbridge. Quelqu'un qui s'est gardé de leur préciser qui était Torking. Qui il était vraiment. C'est la conduite de ce « quelqu'un » qui m'intrigue et me stupéfie !

Ils sursautèrent et se tournèrent tous vers la porte,

qui s'était ouverte avec fracas. Nonchalant et magnifique, le duc Anthony de Torking se tenait sur le seuil. Longuement, il les dévisagea tous. Puis, sans un regard vers la colonnade derrière laquelle se dissimulait John of Montague, il s'éloigna d'une démarche de flâneur...

CHAPITRE IX

Lottie Mac Dawn était rentrée chez elle plus tôt que de coutume, ce soir-là. Il y avait peu de monde au « Silver Doll » et, dès le premier coup d'œil, la fille conclut qu'elle perdrait son temps en s'attardant au cabaret. Ayant souhaité une bonne nuit à une rousse et à deux blondes qui, plus tenaces qu'elle se refusaient à partir, elle quitta le « Silver Doll ». Le vieux cocher, dont le fiacre stationnait presque toujours devant le tripot, lui sourit.

— Je vous emmène, Miss ?

Elle hésita. Puis, ayant relevé le bas de sa jupe, elle monta dans la voiture. Elle se sentait très lasse. L'avant-veille, elle s'était couchée à l'aube. Et depuis une semaine, le sommeil la fuyait. Dans sa chambre, aux tapisseries, aux dorures prétentieuses, elle ôta le boa qui recouvrait ses épaules et, avant même de se déshabiller, enleva ses chaussures qui martyrisaient ses pieds.

Debout devant la glace, elle fit glisser ses jupons empesés qui s'étalèrent sur le parquet avec la raideur de fleurs de marbre. Par petits coups hâtifs d'un peigne très fin, elle démêla ses cheveux et les sépara en deux lourdes nattes. Ensuite, elle revêtit un peignoir de velours jaune, dont elle retroussa les manches trop volumineuses. L'esprit ailleurs, elle prépara du thé très fort, aussi noir que de l'extrait de café. Elle avait soif, après ce champagne exagérément mousseux et qu'il lui fallait absorber lorsqu'elle se trouvait au « Silver Doll ». Le thé au goût âcre, qu'elle avala d'un trait, ne la désaltéra pas. Et elle se demanda si cette espèce de malaise qu'elle éprouvait depuis le matin, était physique ou moral. Elle chercha en vain à découvrir les raisons de l'inquiétude indéfinissable qui mettait ses nerfs à vif. Très vite, elle y renonça. A pas lents, elle s'approcha d'une étagère afin de choisir un livre quand, soudain, on frappa à la porte.

— Qui est là ?

Elle n'attendait personne. Son cœur, tout à coup, battait à un rythme effréné.

— Qui est là ?

— Moi. Torking. Ouvre.

Elle obéit. Il passa devant elle et elle referma la porte d'un geste vif.

— Eh bien, qu'as-tu à me regarder ainsi ? Tu ne me reconnais plus ?

Elle s'avança vers lui. Et, d'une voix sourde, elle proféra :

— Tu es fou, Anthony ! Fou d'être venu ici !

— Quel charmant accueil !

— As-tu songé que quelqu'un t'a peut-être suivi ? Qu'on va te surprendre, dans cette chambre, avec moi?

— Qui cela, « on » ?

Elle avait un air égaré.

— Je ne sais pas qui. Mais tu as manqué de prudence. Tu risques des ennuis, tu risques de provoquer des drames.

Il alluma une cigarette.

— Personne ne m'a suivi, ma belle. Calme-toi. J'ai

emprunté des chemins détournés pour venir te rejoindre.

— Et ta femme ?

— Elle se trouve dans notre propriété de Lumberland.

Il appuya sur ce mot : « notre » lourdement, victorieusement.

— Elle adore la campagne, à l'orée du printemps. Je préfère la ville. Chacun ses goûts.

Les yeux empreints de stupeur, elle ne disait rien.

— Bien qu'elle mène une existence normale, bien qu'elle ait le droit de se promener, elle a besoin de repos encore. De repos et de solitude.

— De la solitude... pendant une lune de miel ?

Il eut un rire bref et qui la fit frissonner toute.

— La « lune de miel », on n'en parle dans aucun calendrier, que je sache ?

Soudain, d'un élan brusque, elle le saisit par le bras.

— Tu ne l'aimes donc pas ? Tu n'as pas appris à l'aimer ?

— Je me laisse aimer. N'est-ce pas mieux ainsi ?

Elle se pencha vers lui. Et tout bas, elle dit :

— Tu joues avec le feu, Torking ! Tu joues avec le feu, méfie-toi !

Il eut de nouveau ce même rire qui la glaçait.

— Me méfier ? Pour elle, je suis un dieu, Lottie ! Et un dieu, on ne le soupçonne pas, on ne l'espionne pas. On lui fait confiance. On le vénère.

D'une voix morte, elle chuchota :

— Combien de temps peut durer un pareil aveuglement ?

Il la regarda. Elle fut effrayée par la cruauté qu'il y avait dans ses yeux.

— Ecoute-moi, pauvre sotte, et essaie de comprendre ce qui se passe dans l'âme de Priscilla.

Détachant chaque syllabe, comme pour une enfant, il dit :

— Quand elle s'aventure dans le parc, quand elle s'engage dans l'un des sentiers du bois, quand elle admire le soleil éclairant une pelouse, elle songe : « C'est à Anthony de Torking que je dois toutes ces joies. A Anthony, qui m'a arrachée à mon enfer, à ma prison ! »

Avait-elle écouté ? Avait-elle compris ? Elle était une femme et elle lui posa la question que seule une femme pouvait poser :

— Et tu n'as pas pitié d'elle ?

— Pitié ? Ne l'ai-je pas rendue à la vie ? Et n'est-ce pas grâce à la passion que je lui ai inspirée, qu'elle a eu la force de quitter son fauteuil... et de marcher ?

D'un ton étrange, il ajouta :

— Je regrette que tu n'aies pas assisté à cette scène hallucinante. Elle a avancé vers moi, comme une somnambule, les bras tendus. Elle tâtonnait, elle cherchait un meuble, un appui pour s'y accrocher.

Il parlait par phrases saccadées.

— Et tout à coup, je l'ai reçue sur ma poitrine. J'ai éprouvé comme un coup en plein cœur. Elle a poussé un cri. Déchirant. Inhumain. Le miracle s'était produit !

Il ne regardait plus Lottie Mac Dawn.

— Et tu penses qu'elle est capable d'oublier tout cela ? Capable de douter de moi, de cesser de m'aimer ? Elle m'appartient, Lottie. Elle m'appartient, corps et âme. Elle tuerait, si je le lui ordonnais !

La fille recula. D'un geste terrifié, elle avait appuyé ses paumes sur ses tempes.

— Tais-toi, Anthony ! C'est affreux.

Il sourit.

— J'ai dramatisé un peu, pour que tu comprennes. Pour que ta tête de linotte...

— Non, tu n'as pas dramatisé. Et c'est cela qui me fait peur !

Il s'approcha d'elle et voulut la prendre par la taille. Mais elle se dégagea et courut se réfugier à l'autre bout de la pièce.

— Mais, ma parole, tu deviens insupportable ! Tu la défends, maintenant, tu es son alliée ?

De cette même voix sans timbre, elle demanda :

— Et son père ?

— Il va faire de moi son associé.

— Je croyais que tu l'étais déjà ?

— Pas encore. Il possède de très importantes plantations de cannes à sucre à la Jamaïque. D'autres plantations au Canada. Il est le propriétaire de métairies, de fermes un peu partout en Angleterre.

Il énumérait sur ses doigts ces richesses qu'il allait partager désormais. Le triomphe était inscrit sur son visage. La fille, elle, avait gardé son expression inquiète.

— Et il t'a promis, vraiment promis que...

— Il a tout intérêt à ce que je ne reste pas oisif.

D'une chiquenaude, il envoya rouler sur le plancher sa cigarette éteinte. Lottie devina qu'il avait envie d'elle. Et elle ne voulait pas qu'il l'approche, qu'il la touche, ce soir-là. Elle le savait cynique, paresseux, intrigant. Mais aujourd'hui, elle découvrait en lui comme un abîme, au fond duquel tout était noir et menaçant. Malgré elle, elle pensa à des sables mouvants, à une eau trouble abritant des plantes meurtrières. Et une fois encore, elle se sentit frissonner. A cette minute-là, la beauté de Torking ne la fascinait pas, mais lui inspirait un effroi invincible. Parce qu'elle savait que toujours, il se servirait de cette beauté pour corrompre et détruire !

— A quoi songes-tu, ma petite chatte ? Tu as un bien joli peignoir !

Il était près d'elle. Il la désirait. Comment pouvait-elle lui expliquer ce qu'elle éprouvait ?

Brutalement, il l'attira à lui.

— Non !

Elle le repoussa, de ses mains grandes ouvertes. Et elle cria :

— Tu me demandes à quoi je songe ? Je songe à ce qui se passera le jour où Priscilla rencontrera un homme... un homme qu'elle aimera. Car toi, elle aura appris à te haïr !

Il sourit. Jamais elle ne devait oublier ce sourire ! Puis, il se dirigea vers la porte. Presque aussitôt son pas, rapide, résonna dans l'escalier.

D'un mouvement pesant, Lottie Mac Dawn se laissa tomber sur son lit. Cet homme, dont elle avait parlé sans trop savoir pourquoi, elle était sûre soudain, qu'il allait apparaître bientôt...

CHAPITRE X

L'immense salon bruissait de lumières. Les glaces encastrées dans les murs semblaient amplifier le décor. Elles reflétaient, elles happaient les silhouettes des danseurs et des danseuses exécutant les figures d'un quadrille. La mélodie que jouait un orchestre composé de six musiciens s'échappait par les fenêtres ouvertes et se propageait à travers le parc qu'éclairaient d'innombrables lampions. La façade de la propriété, le perron avec ses statues de marbre étaient éclairés eux aussi. Et de loin, la pièce d'eau qui occupait le centre de la pelouse, avait l'air d'un cercle de feu.

Des voitures s'arrêtaient sans cesse devant la grille. De temps en temps, l'un des chevaux lançait un hennissement bref. Les claquements des fouets se mêlaient aux martèlements des sabots, aux cris gutturaux émis par les cochers. Des curieux stationnaient aux abords de l'habitation. Aucun d'eux n'ignorait que l'on fêtait l'anniversaire de Priscilla, la fille du marquis Michaël de Landbridge, mariée depuis peu au duc Anthony de Torking. Et jamais encore ils n'avaient vu autant d'élégantes, autant d'élégants franchir le seuil d'une demeure! A voix basse, serrés les uns contre les autres, ils commentaient cet événement. Et tous s'accordaient pour dire que la guérison de Priscilla tenait du miracle. Pour eux, ce n'était pas l'amour qui avait sauvé Priscilla, mais des fluides mystérieux venus du ciel. Seule une vieille femme hochait la tête et elle déclarait à qui voulait l'entendre que la fille du marquis n'avait jamais souffert de paralysie. Personne ne l'écoutait, cette vieille, qui marmonnait entre ses dents :

— Ce ne sont pas ses jambes qui ont été atteintes, quand elle a fait cette chute dans un sentier de montagne. C'est son cerveau qui a reçu comme un coup. Elle s'est imaginée qu'elle était une infirme. Elle s'est persuadée que ses jambes ne lui obéiraient plus. Et un beau jour...

Elle allait de groupe en groupe, la petite vieille, telle une mendiante.

— Et un beau jour, ce nuage dans son cerveau s'est dissipé. Elle s'est aperçue que ses jambes n'étaient pas mortes. Qu'elles ne l'avaient jamais été. Et elle s'est levée et elle a marché !

— Allons, tais-toi ! Tu radotes !

On la bousculait, on l'écartait brutalement. Mais elle, têtue et peut-être plus lucide qu'eux tous, répétait :

— Ce nuage dans son cerveau s'est dissipé. Il s'est dissipé...

Un coupé, arrivant à vive allure, interrompit ce monologue qui avait des accents de litanie. Les curieux laissèrent la voie libre à l'équipage. Il y eut un murmure d'admiration, lorsqu'un homme en descendit. Cet homme était Brummel, le dandy le plus extravagant de toute l'Angleterre. Il passa entre la double haie de badauds. Sa cape de soirée noire était doublée de satin blanc. On aurait juré qu'il portait une perruque, tant ses cheveux étaient brillants et soyeux.

Quelques privilégiés, postés sur son chemin, eurent droit à un sourire. Irrésistible, caressant.

Dans le hall d'une propriété, une dizaine de domestiques guettaient les nouveaux arrivants. Et un valet, posté devant la porte du salon, clamait les noms glorieux de ceux qui pénétraient dans l'immense pièce. Debout non loin de la porte, Michaël de Landbridge accueillait ses invités. Le duc Anthony de Torking se tenait à ses côtés. Installée sur un divan, Priscilla attendait que l'on vienne vers elle. Elle savait qu'elle était et qu'elle serait, des heures durant, le point de mire de tous les regards. Elle sentait sur ses épaules nues, sur son corps tout entier, comme un poids écrasant... celui de la curiosité de tous ces gens accourus pour la contempler, pour la dévisager sans la moindre vergogne. Elle devinait leurs pensées et les mots qu'ils se gardaient de prononcer. Et les questions qu'ils ne lui posaient pas. Les femmes, surtout, tenaillées par le désir de savoir, d'en apprendre plus sur l'extraordinaire aventure qu'elle avait vécue. La personnalité, la beauté de Torking les fascinait. Il symbolisait le rêve interdit, la faute commise en secret, le péché que l'on redoute et qu'on imagine merveilleux.

Elles comprenaient que, avec un physique comme le sien, Torking soit capable de faire des miracles !

— Mes hommages. Jamais vous n'avez été aussi éblouissante !

Les hommes effleuraient de leurs lèvres la main que leur tendait Priscilla.

— Votre robe est un ravissement !

Elle remerciait d'un sourire, d'un battement des paupières. Ce n'était pas de la flatterie, elle ne l'ignorait pas. La toilette qu'elle étrennait, la poétisait toute. Elle avait hésité longuement, avant de choisir cette dentelle d'une bleu azur, tissée de fils d'or. Et à présent elle ne regrettait pas de s'être fiée à son goût, si sûr. Le modèle, elle l'avait imaginé elle-même et soumis le croquis à sa couturière. Le corsage, au décolleté profond, moulait sa poitrine haute et pointue. Malgré soi, on songeait à deux fruits des Tropiques, merveilleusement épanouis. La jupe, moulante, formait un drapé sur les hanches et atteignait le sol sans presque s'évaser. Sur la traîne qui l'ornait, les fils d'or étaient plus visibles que la dentelle et ils paraissaient capter toutes les lumières. On avait l'impression qu'une comète scintillante s'attachait aux pas de Priscilla. Un minuscule diadème en brillants et saphirs était posé de biais sur la masse chatoyante de ses cheveux. Son éventail était en plumes ondoyantes et quand elle l'ouvrait, c'était comme un envol de colombes...

Les regards de toutes les femmes disaient à Priscilla que ce modèle qu'elle avait créé, d'une conception audacieuse et nouvelle, ferait fureur à Londres, très bientôt. Les regards des hommes lui disaient qu'elle avait les plus belles épaules du monde et que son corps éveillait leur désir.

— Ma chère, jamais on ne croirait que vous avez été souffrante! Quel éclat, quel teint, quel sourire !

On l'entourait, on se penchait vers elle. Comme pour la toucher, comme pour sentir son parfum. Elle se demandait où elle puisait la force de supporter cette curiosité, ces coups d'œil de convoitise et de jalousie. Elle luttait contre le vertige.

Enfin, elle réussit à s'échapper. Elle sortit du salon. En passant devant la bibliothèque, elle entendit des chuchotements, des rires étouffés. Elle ne s'arrêta pas. Elle gagna la terrasse. L'orchestre jouait une mélodie très lente, très douce.

Cette mélodie, le couple dans la bibliothèque, la percevait, lui aussi. Lui, c'était Anthony, duc de Torking. Elle, lady Flower Norstone, une jeune veuve à laquelle le noir ne seyait guère. Très vite, elle avait renoncé à ses voiles de deuil pour se montrer en public et prouver qu'elle était bien vivante, elle, bien vivante et décidée à vivre avec intensité.

— Ne sommes-nous pas un peu imprudents, mon cher duc, de nous isoler ainsi dans cette pièce où il n'y a pas plus de lumière que dans une alcôve ?

Ils n'en étaient encore qu'aux préliminaires. Ils s'observaient, se « soupesaient », avant de devenir des amants. Pour l'instant, ils jonglaient avec les mots, ils dressaient minutieusement leurs plans de bataille, afin de s'affronter plus tard avec des armes égales. Car avec un personnage comme Torking et une créature comme Flower Norstone, une liaison ne pouvait être qu'un duel, qu'une suite d'escarmouches, sans franchise, sans amour. Ils étaient de la même race. Ils obéissaient aux mêmes lois, aux mêmes instincts.

— Vos invités ne vont-ils pas s'étonner de votre si longue absence ?

Pour toute réponse, il la prit par la taille et l'attira à lui.

— Sage ! Allons, soyez sage, Torking !

Elle avait renversé sa tête en arrière, pour que la bouche de l'homme puisse caresser son cou, sa gorge.

— Quand et où me sera-t-il possible de te voir... seule ?

Elle ne le repoussait pas. Elle aimait cette caresse, sur sa peau qui frissonnait.

— Je reçois chaque jeudi.

— Tu reçois le jour. Moi, ce sont tes nuits que je veux !

Elle s'écarta de lui. Elle avait un visage menu, des

yeux verts qui semblaient trop grands, un nez plat de chatte, des lèvres pulpeuses. Le grain de beauté sur sa pommette gauche ressemblait de loin à un minuscule cœur de velours noir.

— Vous disposez de vos nuits ? Et votre femme, que fait-elle donc des siennes ?

Elle avait dit cela d'une voix méchante, envieuse. A côté de Priscilla, elle semblait une chienne bâtarde. Et c'était pour cela sans doute, pour se venger, qu'elle s'amusait à lui voler son mari. Obscurément, elle devinait que Priscilla était trop noble, trop « propre », trop cristalline pour un pirate, un vagabond comme Torking. Elle personnifiait le devoir, la clarté, la morale. Tout ce qu'il haïssait, tout ce qu'il combattait! Et la clarté, la blancheur, la morale, Flower Norstone les méprisait, elle aussi.

— Ma femme dort d'un sommeil d'enfant.

De la pointe de son index, il caressait le menton de Flower.

— Eh bien alors, Torking, nous la laisserons dormir, cette enfant. Vous sortirez de sa chambre sur la pointe des pieds, afin qu'elle ne se réveille pas.

Ils se regardèrent. Ils étaient deux complices, désormais.

Debout sur la terrasse déserte, Priscilla contemplait le ciel. A quelques pas d'elle, vers la gauche, la large fenêtre-baie était celle de la bibliothèque. Les rideaux tirés semblaient isoler cette pièce du reste du monde.

— Priscilla...

Elle tressaillit. Torking l'avait rejointe. Sentit-elle sur la veste de l'homme le parfum violent de l'autre... de Flower Norstone ? Lut-elle dans les yeux de Anthony qu'il l'avait trahie une fois encore ?

— Pourquoi es-tu là, ma mie? Pourquoi as-tu déserté le salon ?

— Il y avait trop de bruit. J'ai cru que j'allais défaillir. Je me suis sauvée.

Elle se tourna vers lui.

— Que d'étoiles, dans le ciel !

Elle s'était blottie sur la poitrine de Torking.

— Et toi, où étais-tu ?

— Je bavardais avec Lionel de Tour.

— Je n'aime pas quand tu es loin de moi. Pendant ce séjour solitaire, que j'ai fait à la campagne, j'ai été triste, affreusement.

Il pensait à l'autre. Au corps de l'autre et qu'il allait posséder bientôt.

— Anthony...

Elle guettait un mot de tendresse.

— Qu'y a-t-il, mon cœur? Que veux-tu que je te dise?

— Que je te dois ce ciel que je peux admirer, ces lumières dans le parc, cette musique qui parvient jusqu'à nous. Tu m'as apporté tout cela. Grâce à toi, ces trésors sont à ma portée. Grâce à toi, je vis. Je ne suis plus une silhouette dans un fauteuil. Mais une femme...

— Ma femme.

Comme il l'avait fait pour l'autre, il promena sa bouche sur l'épaule nue de Priscilla. Mais c'était l'image de Flower qui se dressait devant lui. Flower... cette chatte vicieuse et qui changeait de maître, continuellement.

— Je t'appartiens, Anthony. Nous formons un tout. Et personne ne pourra nous séparer !

Il se retenait pour ne pas éclater de rire. Et Lottie Mac Dawn, qui avait parlé d'un homme... un homme qui surgirait peut-être un jour sur la route de Priscilla, cette esclave !

— Anthony...

Elle avait une façon bouleversante de prononcer son prénom.

— Anthony, j'ai besoin de ton amour. Ne me l'enlève pas. Ne me l'enlève jamais...

Il ne s'aperçut pas des accents, soudain étranges, de sa voix. Brutalement, ses lèvres s'appesantirent sur les lèvres entrouvertes de Priscilla.

Lottie Mac Dawn était une folle !

CHAPITRE XI

Jonathan de Fair avait reçu, ce soir-là à dîner, quelques amis très intimes. C'était un célibataire, mais on ne sentait pas l'absence d'une femme à son foyer, car tout y était ordonné méticuleusement, grâce à l'immuable vigilance de deux valets, qui le servaient depuis des années. Le chef-cuisinier, que lui avait recommandé la princesse Dorsky, confectionnait des plats qui faisaient la joie des gourmets. Et Jonathan de Fair, qui considérait le mariage comme une source d'ennuis continuels, se considérait comme le plus heureux des mortels. On racontait qu'il avait été fiancé, jadis, par deux fois. Et que ni la première ni la seconde fois, il n'eut le courage d'aller jusqu'au bout de l'aventure. Il fallait le connaître bien et savoir apprécier sa bonté bourrue et sa franchise souvent maladroite, pour supporter sa compagnie. Il était coléreux, intransigeant et souvent très naïf et stupidement confiant. Ceux qui réussissaient à l'attendrir, étaient sûrs de pouvoir l'exploiter sans la moindre vergogne. Car, après ses accès de colère, il ne demandait qu'à se faire pardonner.

Le repas qu'il offrit à ses invités ce dimanche-là, était plus succulent encore que d'habitude. Et quand, ayant quitté la salle à manger, ils gagnèrent le salon, ce fut pour déguster un brandy inoubliable. Guy de la Maulière, lord Henry Temsworth, Jeremy de Winfrid et Charles Morrey, en burent deux verres chacun. Ensuite, on parla des ballets qui se produisaient au « Royal Theatre ».

— J'ai été déçu. Je m'attendais à quelque chose de grandiose et j'ai assisté à un spectacle qui m'a laissé indifférent.

En entendant cette phrase de Winfrid, Jonathan de Flair eut un haut-le-corps.

— Les entrechats, la technique merveilleuse, la plastique de Norma Winter ne vous ont pas paru sublimes ?

— Pas le moins du monde. Vous oubliez, mon cher, qu'une danseuse doit être une comédienne en même temps. Il faut qu'elle joue, il faut qu'elle mime ce qu'elle éprouve. Si seules ses jambes travaillent, elle ne bouleversera personne.

Il alluma une cigarette, avant de dire :

— Winter a du souffle, des muscles, mais elle manque d'âme, totalement. C'est une force de la nature. Elle ignore les nuances, les soupirs, les demi-teintes. Une jument.

Fair se dressa. Ses pommettes étaient rouges. Rapide, Guy de la Maulière intervint :

— Elle a été très applaudie.

Charles Morrey se mit à rire.

— Par le duc Anthony de Torking, notamment. Qui étrennait un habit couleur gorge-de-pigeon, aux basques très courtes. A l'entracte, au foyer du théâtre, on n'avait d'yeux que pour lui ! Il est devenu le rival de Brummel.

— Sa femme ne l'accompagnait pas.

Temsworth avait prononcé ces mots d'un ton narquois.

Winfrid, que le brandy avait rendu bon enfant, ne voulut pas voir d'allusion malfaisante dans la remarque de Temsworth.

— On prétend que l'air vicié de Londres ne lui réussit pas. Elle préfère la campagne.

Guy avait quitté la place qu'il occupait près de la cheminée et s'était approché de la fenêtre. De la pointe de ses ongles, il tambourinait contre la vitre.

— La campagne à son âge ? Et quelle campagne ! Dans le coin le plus sauvage du Dorkshire. Pourquoi pas un couvent ? Elle serait moins seule.

Le ton de Temsworth s'était fait plus narquois encore. Il ne s'entendait pas avec son épouse, une créature acariâtre et rapace et il cherchait à découvrir, dans chaque ménage, des haines secrètes et des drames.

— Elle n'est pas toujours seule, Temsworth. Vous exagérez.

Fair détestait les commérages. Sa voix mécontente le prouvait.

— Caroline Seyton, une vieille amie à moi, possède une propriété dans la région. Elle a aperçu maintes fois Priscilla et son mari faisant des promenades en voiture. Ils avaient l'air heureux. Elle souriait, la tête appuyée sur l'épaule de Torking. Caroline, qui est très romanesque, a été émue par ce spectacle.

Les doigts de la Maulière ne heurtaient plus la vitre. Ses bras pendaient le long de son corps.

Têtu, mesquin, Temsworth revint à la charge.

— Caroline Seyton vous a-t-elle parlé également d'une petite veuve ravissante, Flower Norstone ? Elle s'est vite consolée de la mort de son époux. Et on m'a assuré que Torking est en ce moment son « consolateur » le plus assidu.

Winfrid, qui n'avait jamais été un mari fidèle, déclara d'un ton sentencieux :

— Les femmes les plus trompées sont aussi les plus choyées. Ne les plaignons pas.

Charles Morrey, qui courtisait la fille de Winfrid, se rangea de son côté.

— C'est juste. Et puis, on raconte tant de choses sur les gens célèbres ! Car Torking, après la fantastique guérison de Priscilla, est devenue une célébrité du jour au lendemain. Un membre de la famille royale m'a interrogé sur lui. Il m'a interrogé également sur Priscilla.

Il voulait qu'ils sachent tous qu'il avait été reçu à la cour.

— J'ai dit que je l'avais rencontrée à une vente de charité. Torking était avec elle. Et elle paraissait symboliser le bonheur.

La Maulière s'écarta de la fenêtre. Son expression était dure. Il tressaillit, lorsque Temsworth s'exclama :

— Et moi, je suis prêt à jurer que Torking se rend en cachette chez cette Flower Norstone. Et les cadeaux qu'il offre à la veuve, il les paie avec l'argent de sa femme ! Il serait temps que quelqu'un apprenne la vérité à Priscilla. Elle fait preuve d'un aveuglement... inadmissible ridicule !

Soudain, ayant franchi la distance qui le séparait de Temsworth, la Maulière proféra d'une voix sourde :

— Mon cher, choisissez donc un autre sujet de conversation ! Ces histoires ne nous concernent en rien !

Un peu surpris par la violence du ton de Guy, Temsworth se hâta de battre en retraite.

— Ne vous fâchez pas ! Tout le monde sait que vous êtes le défenseur des faibles et des opprimés.

— Je n'ai pas à défendre une femme qui ne se plaint pas, qui semble vivre un continuel bonheur et...

— Il l'a envoûtée !

— Peu importe, si cet envoûtement elle l'aime, s'il lui procure des joies.

Ils s'étaient tournés vers lui, tous. Ils ne comprenaient pas. Guy de la Maulière ne connaissait pas les Landbridge. Il n'avait pas été invité au bal donné en l'honneur de l'anniversaire de Priscilla. Alors, pourquoi se montrait-il aussi nerveux, aussi agressif ? D'habitude, il écoutait avec le sourire les racontars méchants de lord Temsworth.

Winfrid décida de mettre fin à ce débat.

— Apprenons à envoûter nos épouses et nos... nos maîtresses, messieurs. Elles nous pardonneront tous nos écarts de conduite et la paix règnera dans le monde.

Constatant que personne ne se risquait à le contredire, il vida d'un trait le verre qu'il avait rempli de brandy et se mit debout.

— Mon cher Jonathan, je vais vous demander la permission de me retirer. J'ai, demain, une journée des plus chargées et il me faut mes dix heures de sommeil.

Imitant son exemple, ils se levèrent tous.

— Non, Guy, pas vous ! Ne partez pas encore.

Fair avait murmuré ces mots d'une voix étrange, en fixant la Maulière dans les yeux.

— J'aimerais bavarder avec vous. A moins que vous ne soyez attendu ?

— Non. Je puis disposer de ma soirée.

Ayant escorté ses invités jusqu'au vestibule, Jonathan Fair revint dans le salon. Son expression était soucieuse. Inquiet tout à coup, Guy interrogea :

— De quoi s'agit-il ? Un contretemps ? Un contretemps grave ?

Fair ouvrit sa tabatière, cueillit une pincée de tabac et la huma longuement. Sans vrai plaisir. Ce geste, il l'avait esquissé par habitude. Son esprit était ailleurs. On devinait qu'il tentait de dissimuler l'angoisse qui le tenaillait. Sa silhouette de colosse semblait à l'étroit, soudain, dans cette pièce si vaste pourtant.

— Oui, Guy. C'est grave. Les nouvelles que j'ai reçues de Paris sont très mauvaises.

Il referma sa tabatière et la jeta sur la table. Immobile, très pâle, la Maulière l'observait.

— Gérard Darsac et dix autres sont tombés dans le piège tendu par la police de Napoléon.

Il marqua une pause, avant d'ajouter :

— Ils ont été exécutés. Tous.

Les épaules de Guy parurent se voûter. Ses paupières se baissèrent. Il ne dit rien.

— Guy, le moment est venu de mettre les choses au point.

On aurait juré que Fair était au supplice. Néanmoins, il eut le courage de continuer :

— Je sais que votre rêve le plus cher est de retourner en France. Je sais dans quelles tragiques circonstances vous avez quitté votre pays. Pour défendre votre idéal, vous n'avez pas craint de risquer votre vie.

Guy ne bougeait pas. Sa pâleur était hallucinante.

— Traqué, espionné, découvert finalement par vos ennemis, vous avez été blessé, en pleine rue. Par quel miracle avez-vous réussi à vous enfuir, à échapper aux soldats qui vous poursuivaient ?

— Jonathan, à quoi bon récapituler tout cela ? A quoi bon ?

— Vos amis et partisans vous ont transporté, presque mourant, vers un refuge sûr. Et c'est dans cet état de demi-inconscience, que vous avez été conduit jusqu'au bateau qui voguait vers l'Angleterre.

— Si je n'avais pas été inconscient, Jonathan, jamais je n'aurais permis que l'on m'emmène, que l'on profite de ma faiblesse, de cette blessure ouverte, pour m'entraîner loin de mon pays !

La Maulière avait crié cette phrase d'une voix vibrante.

— Je n'ai jamais pardonné à ceux qui m'ont contraint de... de fuir, comme un lâche !

— Vous auriez été fusillé, Guy. Comme Darsac, comme tant d'autres ! Dois-je vous rappeler que la sœur, la mère de Douvray ont été châtiées, elles aussi ? Votre nom serait venu s'ajouter sur la liste des « traîtres à la patrie ».

— Oui. Mais, avant de mourir...

Fair l'interrompit, brutalement.

— Assez ! Assez de chimères ! Elles sont trop dangereuses dans votre cas.

— Des chimères ? Ne vous ai-je pas révélé mes projets ? Des projets, approuvés à l'unanimité par ceux qui ont juré de se joindre à moi ?

Jonathan fit quelques pas dans la pièce. Soudain, il s'immobilisa et de son poing énorme asséna un coup sur la table.

— Un débarquement ? Quelle folie ! Toutes les côtes sont surveillées. Vous et les vôtres n'avez aucune chance de sortir vivants d'une pareille aventure.

Tout bas, la Maulière dit :

— Alors, selon vous, il me faut renoncer à la lutte ?

Fair s'approcha de lui.

— Ne vous ai-je pas aidé, financièrement et moralement ? N'ai-je pas essayé de rallier d'innombrables Anglais à votre cause ?

— Une cause que vous abandonnez, Jonathan.

— Elle compromet trop d'existences !

— Vous me cachez quelque chose.

Ils étaient face à face.

— Eh bien, oui. Vous ignorez sûrement que ma sœur a épousé un Français. Qu'elle réside en France.

Et, si on découvre que je protège les émigrés réfugiés à Londres et complotant contre Napoléon, elle sera inquiétée, interrogée... Or, vous savez ce que sont les interrogatoires dans les prisons !

Il parlait d'une voix assourdie, comme pour une confession honteuse. Et il se sentait honteux. Il n'osait pas regarder la Maulière. Il avait l'impression que l'autre le méprisait maintenant et ne pouvait que le haïr !

— Guy...

Il avait un air humble et suppliant.

— Guy, comprenez-moi ! Comprenez la situation telle qu'elle se présente. Et n'entraînez pas à votre suite des fanatiques qui seront exterminés sans la moindre pitié. Attendez. Apprenez à attendre. Et un jour, peut-être...

Il se pencha vers la Maulière.

— Napoléon a provoqué trop de bouleversements. Le sang a coulé partout. Tôt ou tard, il se trouvera face à un tribunal. Tôt ou tard, il lui faudra payer !

— Et moi...

— Vous n'êtes qu'une frêle silhouette sur un échiquier géant. Si vous sortez de l'ombre une fois encore, vous serez réduit en poussière, ainsi que vos partisans. Patientez... patientez, le destin agira à votre place. Vous avez joué votre rôle. Et cette blessure sur votre poitrine est plus glorieuse qu'une décoration ! Croyez-moi. Je suis votre ami.

Il posa sa main sur l'épaule de Guy.

— N'y a-t-il pas à Londres, une femme...

— Il n'y a pas de femme, Jonathan de Fair. Pas de femme, dans ma vie. Et personne ne versera de larmes, si je disparais pour toujours !

— Qu'en savez-vous ?

Sans un mot, la Maulière se dirigea vers la porte.

Un poids insoutenable semblait écraser son être tout entier.

Dans la rue, il hésita. La veille, il s'était entretenu longuement avec lord Ferguson. Un entretien qui rappelait d'une façon implacable celui qu'il venait d'avoir avec Fair. Ferguson s'était dérobé, lui aussi. Une de ses cousines habitait aux environs de Paris. Et il ne souhaitait pas lui attirer d'ennuis. Tout cela fut dit d'une manière charmante, mais la peur déformait chaque syllabe, chaque parole prononcée par l'homme. Petit à petit, le vide s'était fait autour de Guy de la Maulière. Les intérêts personnels, les affections, les liens de parenté l'emportaient sur le désir de secourir les aristocrates français qui rêvaient d'anéantir Napoléon et de restaurer la monarchie en France.

« Cette blessure sur votre poitrine est plus glorieuse qu'une décoration ! » Jonathan de Fair lui avait offert ce compliment pompeux, pour le consoler, comme on consolerait un enfant. Une décoration ! Alors qu'il ne pouvait rien faire, qu'il était réduit à l'inactivité et que ses espoirs ne se réaliseraient jamais ! Il était et il resterait l'élégant Guy de la Maulière qui, à ses moments perdus, exploitait un club, fréquenté par des personnages aux noms illustres. Un fiacre traversa la rue. Un heurt de sabots résonna dans le silence. A pas lents, Guy marcha vers le carrefour.

— On est seul ? On s'ennuie, peut-être ?

Une fille, qui se dissimulait dans un pan de pénombre, l'avait accosté, soudain.

— C'est triste d'être seul, my lord.

Elle le tirait par la manche.

— Venez ?

Il se dégagea. Elle n'était plus jeune et elle avait un air harassé. Chez lui, il constata avec plaisir que son valet n'avait pas attendu son retour. Il ne voulait d'aucune présence à ses côtés. Il ne monta pas l'escalier qui conduisait à sa chambre. Il traversa le hall et pénétra dans le salon. Distraitement, il souleva le couvercle du clavecin placé près de la fenêtre. De la pointe de son pouce, il effleura le clavier. Des notes aigrelettes jaillirent de l'instrument. De sa main grande ouverte, il plaqua un accord, puis un autre. Sans même s'en rendre compte, ses pensées étant ailleurs, il joua les premières mesures d'un menuet. Debout, dans ce salon désert, il écoutait la mélodie, qui lui rappelait la France, qui lui rappelait tant de souvenirs. Et il éprouvait comme une douleur, là où les balles l'avaient frappé.

Comment oublier cette course folle, dans un Paris où tout dormait encore ? Comment oublier les vociférations des soldats qui le poursuivaient, le bruit infernal de leurs bottes martelant les pavés, les coups de feu claquant dans la nuit ? Ensuite, une souffrance aiguë, du sang sur sa chemise... et le néant ! Quand il reprit connaissance, le bateau qui l'emmenait loin des côtes françaises, fendait des vagues furieuses et des oiseaux couleur de deuil survolaient la mer.

C'était une vieille romance de France, que jouait maintenant Guy de la Maulière. Une romance, douce comme une complainte et qui contait un amour malheureux.

« N'y a-t-il pas une femme, à Londres... »

Jonathan de Fair lui avait posé cette question. Et il avait répondu :

— Non ! Il n'y a pas de femme, dans ma vie !

Il s'écarta du clavecin. L'envie de fuir cette maison, de fuir ce pays, qui n'était pas le sien, le prenait à la gorge. Brusquement, il sortit de la pièce, dont la vue lui était odieuse soudain.

Et ce fut alors que la cloche, ornant la grille, tinta longuement. Il sursauta. Quelqu'un qui s'était égaré, sans doute, ou qui s'était trompé d'habitation. Il ne bougea pas. Quand la cloche tinta à nouveau, plus longuement encore, il avança vers le perron. Dans l'allée, malgré lui, il hâta le pas.

Une silhouette se tenait derrière la grille. La silhouette d'une femme. Une voilette sombre dissimulait son visage.

— Ouvrez ! Ouvrez vite, je vous en supplie !

Il obéit. Il ne savait plus ce qu'il faisait et pourquoi il obéissait à cette passante.

Elle entra dans le parc. Tout bas, elle dit :

— Venez ! Ne restons pas ici.

Ils firent quelques pas dans l'allée, que la lune éclairait inégalement.

— Qui êtes-vous ?

Il s'était immobilisé, brutalement.

— Qui je suis ?

Elle souleva sa voilette. Elle tendit vers lui son visage. Et il réprima avec peine un cri de stupeur, en reconnaissant... Priscilla de Torking !

— Oui, Guy, c'est moi.

Elle chuchotait.

— Il fallait que je te voie ! Que je te parle. Il le fallait, Guy !

Ses doigts encerclèrent le poignet de l'homme. Et elle murmura :

— Ne me dis pas... ne me dis pas que tu ne m'attendais plus ?

Il la prit dans ses bras. Et elle se blottit contre lui. Telle une errante, qui aurait enfin trouvé un refuge !

CHAPITRE XII

Tina, la jeune négresse, allait et venait dans la chambre toute rose où tout lui semblait magnifique et attirant. Elle marchait sur la pointe de ses pieds nus, afin de ne pas réveiller Flower qui dormait encore. Car, malgré l'heure tardive et un soleil éclatant dehors, Flower Norstone continuait à dormir. Cette nuit-là, elle avait assisté à un bal et dansé jusqu'à l'aube.

Tina, qui ne se couchait jamais avant le retour de sa maîtresse, n'eut que le temps de l'aider à enlever sa robe, avant de la porter presque jusqu'à son lit. Epuisée, ayant sans doute bu trop de champagne, Flower sombra aussitôt dans un sommeil pesant. Elle ne s'aperçut même pas que Tina enlevait les épingles et les peignes, qui maintenaient en place son chignon.

Ayant rangé dans un placard les vêtements éparpillés un peu partout dans la pièce, la servante s'approcha de la commode sur laquelle était posé le coffret à bijoux. Après un regard furtif vers Flower, elle l'ouvrit et se pencha vers les pierres scintillantes. Elle adorait les couleurs vives, tout ce qui brillait, qui paraissait dégager de la chaleur, de la vie. Pour elle, ces rubis, ces saphirs, ces émeraudes, ces diamants étaient comme autant de divinités agissantes et mystérieuses. Elle leur attribuait mille pouvoirs. Et elle redoutait le saphir qui, croyait-elle, symbolisait le malheur !

Au hasard, elle s'empara d'un collier. Elle le mit autour de son cou. Sans bruit, elle avança vers la coiffeuse. Elle sourit à son reflet dans le miroir. Ses lèvres mauves étaient d'un mauve plus foncé sur les pourtours. Ses paumes presque blanches. Elle leva les bras et les arrondit autour de sa tête. Le duvet à l'endroit de ses aisselles, aux reflets roux, contrastait avec le noir de ses cheveux courts et drus, luisants comme de la laque. On retrouvait les mêmes reflets fauves dans ses prunelles d'un brun d'automne. Il se dégageait d'elle une odeur de musc, de miel, de plantes exotiques s'épanouissant dans la chaleur d'une serre. Elle était assez grande, très cambrée, sinueuse. Sa démarche ondoyante, ses airs alanguis, les courbes voluptueuses de son corps faisaient songer à des forêts peuplées d'oiseaux, à des terres où les nuits sont douces, à des plages où le sable est comme de la soie.

John Norstone, le mari de Flower, qui voyageait beaucoup, avait fait un jour une escale à Bornéo. Tina errait près du quai. Elle avait l'estomac vide et elle guettait une aumône. Désirant offrir un cadeau à sa femme, John décida d'emmener Tina avec lui. Il n'ignorait pas que sa décision provoquerait la stupeur et l'indignation de la plupart de ses amis. Mais il se moquait de l'opinion des gens. Et il savait qu'il aurait droit aux remerciements, aux effusions, aux mines d'enfant comblée, de cette poupée ravissante qu'il avait épousée, malgré les avertissements de sa famille. Car John appartenait à une famille austère et qui rêvait pour lui d'une autre union.

Tina se révéla comme une créature soumise et silencieuse. Sans doute était-elle une esclave née, car toujours, aveuglément, elle exécuta les volontés de sa maîtresse. Elle se chargea de transmettre des messages aux soupirants de Flower, alors que John vivait encore. Elle favorisa des rendez-vous clandestins. Avant chacun de ces rendez-vous, elle coiffait, elle parait Flower comme pour une fête. Jamais elle ne critiquait, jamais elle ne prodiguait de conseils. Au fond, nul ne connaissait ses pensées.

— Tina !

Rapide, elle enleva le collier.

— Que fais-tu devant cette coiffeuse ? Que caches-tu dans le creux de ta main ? Viens vers moi !

Flower s'était dressée sur un coude, en prononçant ces mots.

— Tu as pris mon collier ! Le collier que le duc de Torking m'a apporté avant-hier. Il est magnifique, n'est-ce pas ?

S'étant écartée de la coiffeuse, la domestique avait rangé le bijou dans le coffret.

— Quelle robe my lady va-t-elle choisir aujourd'hui ? Quelles chaussures ? Il y a du soleil dans les rues. Il fait bon.

Flower rejeta ses couvertures et se mit debout. Sa chemise de nuit, transparente, la révélait toute. Sans son corset, elle était moins svelte. Et, quand on les regardait toutes les deux, on s'apercevait que celle qui avait le plus de « race », le plus d'attraits, c'était non pas la femme blanche, mais la fille venue de loin.

— Ma mère a promis de me faire une visite, sitôt après le déjeuner. Je ne veux pas la recevoir, Tina ! Tu lui diras que j'ai dû m'absenter.

— Bien, my lady. Dois-je préparer le bain ?

— Oui. J'attends ma couturière. Je lui ai commandé une toilette... ravissante !

Elle ne s'apercevait pas du regard que la servante attachait sur elle. Il y avait comme du mépris dans ce regard, comme de la pitié également. Tina était une esclave, parce qu'elle ne possédait rien. Flower parce qu'elle voulait tout posséder. Et l'une et l'autre devaient s'incliner devant les caprices de ceux dont elles dépendaient. Et l'une et l'autre se voyaient contraintes de jouer la comédie de la tendresse et de l'attachement, afin d'obtenir les récompenses qu'elles convoitaient. Des deux, Flower était la plus servile, la plus hypocrite. Et c'est pour cela que la fille venue de loin la plaignait et la méprisait.

— Un costume pour le voyage. La comtesse de Touvray a le même.

Flower s'approcha de la coiffeuse et, d'un mouvement circulaire des doigts, massa son visage qu'elle avait enduit de crème pour la nuit.

— T'ai-je dit que j'allais quitter Londres, très bientôt ?

Les yeux de Tina, des yeux immenses et humides de biche, fixaient les doigts de la femme blanche qui voletaient comme des papillons.

— Le duc Anthony de Torking m'emmène en Ecosse.

Elle jeta un coup d'œil vers la domestique qui, la tête légèrement penchée d'un côté, l'observait à travers ses paupières mi-fermées.

— Tu ne m'accompagneras pas. Il veut être seul avec moi. Je lui ai menti. Je lui ai déclaré que jamais encore je n'avais séjourné en Ecosse.

Elle se mit à rire.

— C'est là-bas que j'ai rencontré Stanley. Tu te souviens de Stanley ? Je l'ai quitté, parce qu'il était jaloux... et avare ! A son âge, on n'a pas le droit d'être avare. Il ne pouvait plus rien faire, sauf de distribuer son argent. Et il comptait chaque billet de banque !

Elle s'étira. Elle pensait à Torking. Elle ne l'aimait pas. Mais elle aimait ses caresses, savantes et brutales.

Elle était heureuse de partir avec lui. Un triomphe, pour elle ! Car il avait hésité longuement, avant d'accepter l'idée de ce voyage. L'aventure offrait des risques trop nombreux, trop graves. Et puis, comme il ne détestait pas provoquer le destin, il avait fini par céder aux prières de Flower.

Il ne considérait pas Priscilla comme un obstacle. La passion qu'elle éprouvait pour lui l'aveuglait complètement. Elle lui appartenait, corps et âme. Il en avait la certitude absolue. Par moments, une telle confiance, une telle naïveté le stupéfiaient. Ils en parlaient, Flower et lui. Ils en riaient, également.

— Et l'épouse de Sa Grâce, le duc de Torking, sera-t-elle du voyage ?

Tina avait prononcé ces mots d'une voix très douce.

— Son épouse ?

Flower Norstone se dressa, brusquement :

— En voilà une question ! Pourquoi me la poses-tu ?

Elle s'était avancée vers la fille, immobile et impassible.

— Pourquoi ? Réponds !

Elle savait que, très souvent, Tina avait des pressentiments. Des pressentiments qui ne la trompaient jamais. Et elle se demandait ce que cachait cette phrase de la négresse.

— Tu redoutes quelque chose ? Un contretemps ? Tu as consulté les astres ? Eh bien réponds, stupide créature ! Tu en as trop dit.

Elle l'avait saisie par le bras et la secouait rudement.

— Les astres sont mes amis, my lady. Ils me confient des secrets.

— Quels secrets ?

— Il y a un homme, my lady.

Elle eut comme un frisson, puis elle reprit :

— Un homme qui va tout bouleverser.

Plus bas, en un souffle, elle ajouta :

— Et cet homme... n'est pas le duc Anthony de Torking !

D'un geste nerveux, Flower la repoussa.

— Oiseau de malheur ! Je ne crois pas à tes histoires. Tu es furieuse. Oui, furieuse, parce que je te laisse à Londres et que tu espérais me suivre et m'espionner.

Des accents stridents, des accents vulgaires s'étaient insinués dans sa voix. Elle criait, car l'inquiétude suscitée par Tina, gâchait son triomphe.

— Tu es jalouse de moi. Tu m'envies mes bijoux, mes robes, mes amants. Tu sais qu'aucun d'eux ne te courtisera jamais à cause de ta peau si noire, de tes airs de bête qui rampe ! Et tu essaies de me faire peur.

Tina recula. Mais son regard de biche exprimait la même douceur, toujours. Elle devinait ce que les jours prochains réservaient à la femme blanche. Et elle ne lui enviait ni ses amants, ni ses bijoux.

— Qu'as-tu à me fixer ainsi ?

— C'est la rue que je contemple, my lady. Et la mère de my lady est devant la grille. Elle attend qu'on lui ouvre.

Tina, qui s'était avancée vers la fenêtre, écarta le rideau. D'un ton rageur, Flower Norstone s'exclama :

— As-tu oublié que je ne désirais pas la recevoir ?

— Il faut la recevoir. Elle apporte peut-être des nouvelles, qui intéresseront my lady.

Rapide, elle sortit de la pièce. Flower l'aurait frappée avec plaisir !

— Comment vas-tu, ma chérie ?

Souriante, imposante, habillée de satin noir, Gwendoline Hoggins tendait ses mains vers sa fille.

— Viens un peu, que je m'assure que tu as un teint frais et que tu es heureuse.

Tout en Gwendoline Hoggins était exagéré, théâtral, pompeux.

— Me voilà apaisée. Jamais tu n'as eu une mine aussi resplendissante. Si ton cher mari était encore là...

Soupçonnait-elle l'existence désordonnée que menait Flower ? En souffrait-elle ? Ou bien l'approuvait-elle dans le secret de son cœur ? Personne ne s'était hasardé à l'interroger. Et l'énigme demeurait intacte.

— La santé vaut toutes les richesses du monde. C'est vrai. Quand on la perd...

Tina les avait laissées en tête à tête. Pour qu'elles puissent parler librement.

— A quel propos dis-tu cela ?

Gwendoline Hoggins s'installa sur le bord du lit défait.

— Je dis cela parce que je viens d'apprendre qu'un personnage tout-puissant et possédant une fortune énorme était à la mort !

Les doigts de Flower qui s'amusait à enrouler autour de son index l'un des pans de la large ceinture cerclant sa taille, s'immobilisèrent tout à coup.

— Quel est ce personnage ?

Tendue vers sa mère, elle attendait.

— Le marquis Michaël de Landbridge !

— Il est à la mort ? Il n'y a pas si longtemps, il a donné un bal. Et il paraissait...

Gwendoline l'interrompit :

— Il avait une mauvaise toux. Ses poumons étaient gravement atteints.

Sourcils froncés, Flower Norstone réfléchissait. Ce voyage en Ecosse qu'elle avait projeté devenait impossible. Torking ne pouvait pas quitter Londres à un moment pareil. Sa place était aux côtés de Priscilla... Priscilla, l'unique héritière du marquis.

— Es-tu sûre de ce que tu avances-là ?

Gwendoline Hoggins eut un haut-le-corps.

— Voyons, Londres est un village et tout se sait.

Tout bas, comme pour elle-même, Flower murmura :

— Priscilla confiera certainement à Anthony le soin de défendre ses intérêts, de gérer ses biens...

— Certainement. Et il en fera profiter ses amis. Si ses amis savent se montrer adroits.

Elles se regardèrent. La première, Gwendoline détourna les yeux.

— Je vais être obligée de te quitter, ma fille. Je comptais passer l'après-midi avec toi. Mais j'ai avancé l'heure de ma visite, afin de t'annoncer cette nouvelle.

Elle poussa un soupir.

— Tout cela est bien triste. Bien triste.

Elle poussa un autre soupir et sortit de la pièce. Flower n'avait pas bougé. Elle calculait... Elle se demandait si cette mort allait servir ses plans, ou la séparer de Torking pour toujours !

CHAPITRE XIII

Les fermiers, les métayers, les régisseurs, les intendants, les plus humbles paysans étaient venus à Londres pour l'enterrement. Certains d'entre eux, parfois des familles entières, firent le trajet tassés dans des voitures branlantes, attelées à des chevaux dont les sabots n'avaient jamais foulé les pavés d'une grande ville. Ayant expliqué les raisons de leur déplacement massif, ils obtinrent des autorités la permission de camper aux abords de la cité. Quand l'obscurité vint, ils allumèrent des feux le long des remparts. Et on aurait juré qu'une armée de nomades assiégeait la capitale anglaise.

Il y avait même des enfants, trop jeunes pour comprendre les chagrins des adultes et qui se livrèrent à leurs jeux habituels, organisant des rondes et chantant des mélodies, toujours les mêmes depuis des siècles. Pendant ce temps, sous les tentes dressées en toute hâte, des hommes et des femmes discutaient à voix basse. Qu'allait-il advenir d'eux, maintenant que le maître n'était plus ? Sa fille, Priscilla de Torking, suivrait-elle l'exemple de son père et saurait-elle faire preuve de la même autorité, du même esprit de justice, de la même équité ? Elle ignorait tout de leurs vies, de leurs goûts, de leur labeur. Saurait-elle les guider, les commander... et les aimer ? Il y avait Torking, aussi. Le duc Anthony de Torking. Là, ils se heurtaient au mystère le plus total. Car pour eux, il était un inconnu. Ils n'ignoraient pas qu'il avait fait une sorte de miracle en guérissant Priscilla. Mais cela ne suffisait pas pour leur permettre de découvrir la vérité sur ce personnage qui, désormais sans doute, allait jouer un rôle de premier plan.

Tard dans la nuit, alors que les feux s'éteignaient doucement, ils chuchotèrent. Le nom de Torking résonnait sans cesse, au cours de ces conciliabules.

Des dizaines et des dizaines de personnes avaient tenu à se rendre au cimetière. Et ce fut un véritable cortège qui accompagna la voiture transportant le cercueil.

Priscilla de Torking avançait au bras de Anthony. Derrière eux, marchait lady Manse, Flora Lansford de son nom de jeune fille. Comme Priscilla, elle avait dissimulé son visage derrière un voile sombre qui atteignait sa taille. Ne pouvant distinguer ses traits, ceux qui faisaient partie de la procession et les badauds massés dans la rue, se demandaient qui était cette femme que semblait accabler un immense chagrin. Son pas était encore plus hésitant, sa silhouette plus pathétique encore que la silhouette de la fille du marquis.

— C'est inimaginable ! Il semblait si gai, si plein de santé, pendant cette fête qu'il avait organisée dernièrement.

— Ma chère, nous sommes peu de chose, sur cette terre. Aujourd'hui ici, demain...

— Le duc de Torking a l'air de souffrir, affreusement. Quel bel homme ! Et elle, pauvre petite colombe !

— Elle va faire un héritage magnifique.

— Chut ! Ce n'est guère le moment de parler de tout cela !

— Les morts, on les enferme dans des cercueils. Et on s'empresse d'ouvrir leurs coffres. Inutile donc de prendre ce ton scandalisé !

Tout en se dirigeant vers le cimetière, ils échangeaient leurs impressions, ils essayaient de deviner l'avenir de ce couple, Priscilla et Anthony, dont l'union avait suscité tant de commentaires !

Ce fut dans le grand salon, où s'était déroulé le bal, qu'ils exprimèrent leurs condoléances à Priscilla. Debout près de la cheminée, elle serrait les mains qui se tendaient vers elle. Comme en un rêve, elle entendait les phrases émues qu'ils prononçaient et qui se ressemblaient toutes.

Lorsque Guy de la Maulière s'inclina devant elle, elle lui accorda un rapide regard. Le regard que l'on accorde à un indifférent.

Et ce fut alors qu'eut lieu une scène, dont ils devaient se souvenir tous, leur vie durant. Se détachant brusquement d'un groupe de douairières aux mines bouleversées, Flower Norstone se précipita vers Priscilla et, l'attirant contre elle, éclata en sanglots. Des sanglots bruyants et qui résonnèrent étrangement dans un silence total. Pour cette comédie qu'elle avait décidé de jouer en public, Flower s'était habillée de noir. Et une mantille, en dentelle noire également, recouvrait ses cheveux.

— Ma chérie... ma chérie...

Telle une mère, consolant son enfant, elle serrait Priscilla contre son cœur.

— Je partage votre peine. Je vous plains. N'ai-je pas vécu des minutes aussi atroces, quand j'ai perdu mon mari ?

Elle savait bien qu'ils l'écoutaient tous. Elle devinait la stupeur de Torking, son émoi. Et elle éprouvait un plaisir trouble, en leur offrant à tous ce spectacle auquel ils ne s'attendaient pas !

— Je suis votre amie. Ne l'oubliez pas. Ne l'oubliez jamais.

Elle appuya ses mains sur sa poitrine. On crut qu'elle allait défaillir. Quelqu'un cria :

— Des sels ! Vite !

Un domestique apparut aussitôt. Il se chargea de guider Flower Norstone vers la salle à manger, où on lui prodigua des soins. Gwendoline Hoggins, la mère, tamponna avec son mouchoir le front, les tempes de la jolie petite veuve, qui avait réussi à attirer l'attention sur elle.

— Comment te sens-tu ?

Penchée vers Flower, elle parlait d'une voix assuordie.

— Tu as eu tort, ma fille. Tu as eu tort ! C'est grave, ce que tu viens de faire là. Très grave !

Les paupières de Flower battirent et se soulevèrent. Elle s'assura que, en dehors de Gwendoline, il n'y avait personne dans la pièce. Puis, d'un ton cinglant, elle déclara :

— Il faut bien qu'ils s'habituent tous à ma présence dans cette maison !

— Que veux-tu dire ?

— Que je compte bien y régner en maîtresse... lorsque Anthony se sera débarrassé de sa femme.

Ce « débarrasé », elle le prononça d'un air tellement étrange, que Gwendoline Hoggins ne put réprimer un sursaut effrayé.

— Tu perds la tête ! Si on t'entendait...

Flower Norstone sourit.

— Ils m'entendront, un jour. Car, bientôt, c'est moi qui commanderai ici !

Incapable d'émettre un son, Gwendoline Hoggins la fixait d'un regard terrifié.

A côté, le salon s'était vidé petit à petit. Et quand l'horloge dans le hall scanda quatre heures, il ne restait plus dans la pièce que Priscilla, Torking et lady Manse. Flower et sa mère, très entourées, étaient parties elles aussi.

— Vous allez monter dans votre chambre, Priscilla. Vous avez besoin de vous reposer.

Lady Manse paraissait très calme. Trop calme, même.

— Voulez-vous l'escorter jusqu'au premier étage, mon cher Torking ?

Le bras de Anthony encercla la taille de sa femme. Et doucement, il dit :

— Viens...

— Non, Anthony, non. Je ne pourrai pas... je ne pourrai ni dormir, ni demeurer là-haut toute seule.

— Je resterai près de toi, ma mie.

— Non... non...

— Il le faut, mon cœur. Sois raisonnable !

Du revers de la main, il caressa la joue, les lèvres blêmes de Priscilla.

— Je te tiendrai compagnie. Je te parlerai. Je te bercerai, ma colombe.

Il y avait des larmes dans les yeux de Torking.

— Je suis aussi malheureux que toi. Et ton deuil est le mien. Cette épreuve va consolider les liens qui nous unissent avec tant de force déjà. Tes souffrances, je t'aiderai à les endurer. Je ferai en sorte qu'elles te semblent moins cruelles. Tu le sais, n'est-ce pas, ma mie ? Tu le sais ?

Impassible, réfugiée dans un coin de la pièce, lady Manse les observait.

— En dehors de moi, tu as des amis. Les innombrables amis qui ont appris à aimer, à respecter ton père et qui sont venus t'offrir leur affection.

Oubliant toute prudence, ou alors jouant avec le

danger, une fois de plus, par bravade, il poursuivit :

— Et aujourd'hui, s'ils avaient osé, ils auraient imité Flower Norstone, qui n'a pas pu te cacher sa peine. Elle, si discrète d'habitude !

Il tournait le dos à lady Manse. Et elle pouvait détailler librement sa magnifique et arrogante silhouette. Elle pouvait admirer ses épaules à la carrure insolente, sa taille si fine, ses cheveux si blonds disposés en vagues harmonieuses sur sa nuque. Vraiment, il était le mâle splendide, créé pour la volupté.

— Dans une semaine ou deux, nous partirons, toi et moi. Loin de Londres, n'importe où, à la recherche du soleil. Tu veux bien, ma petite fée ?

— Loin de Londres ? A la recherche du soleil ? Le trouverons-nous, Anthony ?

— Je te le promets. Et maintenant, tu vas t'allonger sur le divan de ton boudoir.

Il voulut la soulever de terre, mais elle se dégagea.

— J'ai envie de marcher un peu. J'étouffe dans ce salon.

Elle se dirigea vers la porte.

— Priscilla ! Attends !

Il tenta de lui barrer la route.

— J'exige de t'accompagner !

Elle fit non de la tête. Puis, elle se saisit de son châle et sortit de la pièce. Bras croisés, silencieuse, lady Manse fixait Anthony de Torking. Sentant sur lui le poids presque insoutenable de ce regard, il se retourna.

— Pourquoi Dieu nous a-t-il envoyé une pareille épreuve ?

Elle ne dit rien. D'un ton moins assuré, il enchaîna :

— Heureusement pour elle, elle ne sera pas seule à se battre.

— Se battre ? Contre qui ? N'avez-vous pas déclaré qu'elle ne comptait que des amis ?

— L'amitié ne compte guère, dès que les intérêts personnels entrent en jeu.

— Quelqu'un songerait-il à lui disputer son héritage ?

Il tressaillit.

— Mon cher Torking, il faut que nous ayons une conversation, tous les deux. Une conversation sans témoins. Jeudi à quatre heures. Chez moi. Ce jour vous convient-il ?

Elle avait une voix qu'il ne lui connaissait pas. Brève, précise. Il s'inclina.

— Ce jour me convient.

Dehors, dans le parc, Priscilla marcha vers le pavillon qui faisait face à la serre. C'était dans cette maisonnette, aux murs décorés de lierre, que sa mère venait lire et rêver. Le passé... un passé qu'elle avait envie d'évoquer, tout à coup, afin d'échapper aux images du présent.

Une indéfinissable odeur flottait dans le vestibule. Dans le salon aux meubles recouverts de housses, tout n'était que silence. Le pavillon se trouvait à l'autre extrémité du parc et Priscilla était heureuse de savoir que nul ne se hasarderait à interrompre son dialogue avec jadis. Elle ne s'attarda pas dans ce décor. Elle traversa un couloir et pénétra dans une pièce aménagée en atelier. Sa mère aimait peindre. Le chevalet devant lequel elle s'installait si souvent, occupait toujours la même place. Sur le chevalet, un tableau inachevé représentant un coin de forêt, à l'instant du crépuscule.

D'un mouvement brusque, Priscilla de Torking cacha son visage derrière ses mains. Pourquoi était-elle entrée dans ce pavillon ? Espérait-elle vraiment effacer de sa mémoire tout ce qui la tourmentait ? Au lieu de s'estomper, les visions qui la harcelaient s'étaient faites plus nettes, plus obsédantes encore

Il lui semblait voir ce cortège avançant vers le cimetière, cette voiture transportant le cercueil, cette fosse béante... et puis, des gens se pressant tour d'elle, lui murmurant des mots qu'elle n'entendait pas. Ensuite... ensuite l'apparition de Flower Norstone, ses sanglots et la voix faussement angoissée de quelqu'un réclamant des sels. Tout cela, il avait fallu le vivre, l'endurer. Anthony se tenait près d'elle. Elle sentait contre son épaule l'épaule de l'homme. Il avait caressé sa joue, ses lèvres, en l'appelant « ma mie ». Il trouvait toujours des expressions si tendres. Et les gestes qu'il esquissait étaient ceux que l'on attendait de lui. « Dans une semaine ou deux, nous partirons toi et moi. Loin de Londres. N'importe où... »

Des promesses. Un regard qui fascine. Des mains qui savent caresser. Et elle... elle, guettant tout cela, mendiant tout cela !

Comme folle, d'un élan sauvage, Priscilla sortit de l'atelier. Elle oublia de refermer la porte du pavillon. Elle oublia d'éteindre la lumière. Coudes serrés au corps, elle courut vers la grille. Dans la rue, elle s'immobilisa. Son cœur heurtait sa poitrine.

De toutes ses forces, elle cria :

— Guy !

Comme quelqu'un qui se noie.

Mais elle ne héla pas le fiacre qui avait ralenti en passant près d'elle... Elle ne remarqua pas l'expression étonnée du cocher qui avait entendu son appel déchirant !

CHAPITRE XIV

A cet instant précis, Guy de la Maulière pensait à elle. Il n'avait pas pu lui parler, en présence de ces étrangers accourus pour l'enterrement. Mais ne s'étaient-ils pas tout dit, le soir où, brutalement, le destin les avait réunis à nouveau ? Le destin, ce ne fut pas lui qui l'aida. Ce fut elle ! Car elle lui était apparue, alors qu'il n'espérait plus la revoir un jour.

Après les brèves paroles qu'elle prononça dans le parc, ils avancèrent vers la maison. La nuit étoilée semblait marcher avec eux. Dans le salon, il l'aida à enlever son manteau. Elle avait roulé ses cheveux en un lourd chignon, placé haut sur sa tête et Guy put voir, sur sa nuque découverte, le minuscule grain de beauté qu'il avait remarqué autrefois déjà. Autrefois, alors qu'elle n'était encore qu'une adolescente et qu'il la rencontrait au hasard des séjours qu'il effectuait dans le petit bourg de Lamphire.

C'était là que, chaque année, elle passait les mois d'été avec son père, le marquis de Landbridge. C'était là, dans une propriété voisine, qu'habitait un ami de Guy de la Maulière. Cet ami, qui recevait chez lui beaucoup de Français, les présenta l'un à l'autre.

Guy fut frappé par la beauté d'Orientale de Priscilla. Elle n'avait pas du tout le type d'une Anglaise. Sa peau, sa chevelure sombre, son visage aux pommettes saillantes, faisaient songer à des pays chauds par-delà les mers.

Elle montait à cheval avec une virtuosité, une audace qui effrayaient. Elle entraîna Guy à sa suite. Ils effectuèrent des randonnées dans la montagne. Il essaya de mieux la connaître, de mieux la comprendre. Il n'y réussit pas. Elle était changeante, multiple à l'infini. Sans cesse, il se trouvait en présence d'un personnage différent. Il aurait juré qu'elle possédait plusieurs âmes. Et que, chaque matin, elle choisissait parmi ces âmes pour devenir une autre, une étrangère dont il fallait découvrir les désirs et les secrets.

Lui était déjà un adulte. Mais cette gamine réussissait à lui imposer ses volontés, à le fasciner, à le dérouter. A cette époque-là, il avait une liaison en France. Une femme dont il aimait le corps et qu'il oubliait, aussitôt après leurs étreintes. Il se persuadait qu'il tenait à elle, qu'il y avait entre eux autre chose qu'une totale entente physique. Il savait qu'il se mentait à lui-même.

Un matin, toute sa vie il devait se souvenir de ce matin-là, Priscilla lui proposa de visiter un château en ruines. Ils partirent donc, escortés par Mary Sample, la gouvernante. La chaleur était tyrannique, les chemins tortueux. Mary, qui montait une jument des plus nerveuses et qui avait passé l'âge des folles équipées, déclara forfait en apercevant la ferme des Morridge, où elle était sûre de trouver du lait crémeux et du pain doré à point.

Un peu honteuse, mais devinant que Priscilla se garderait de conter tout cela au marquis, elle alla frapper à la porte des Morridge. Auparavant, prenant un ton sévère, elle avait dit à Priscilla :

— Ne restez pas absents trop longtemps. Je vous attendrai. Ne mettez pas ma patience à l'épreuve.

— Ne t'inquiète pas. Et mange à ta faim.

Mary, qui était dodue comme une caille et gourmande comme une enfant, eut un sourire faussement contrit.

— Je dois me surveiller. Je grignoterai. C'est tout !

Libres et seuls enfin, Priscilla et Guy s'élancèrent vers les pentes boisées où personne, en dehors de quelques bergers, n'osait s'aventurer. Le pur-sang de Priscilla, Tigre, distança rapidement l'autre cheval. Imperceptiblement, il accentua le rythme de sa course, qui se transforma bientôt en un galop diabolique.

Au lieu de freiner cet élan infernal, Priscilla encourageait la bête en cinglant l'air de sa cravache, en poussant des cris vibrants. Des cris, que l'écho répétait d'une voix plus assourdie et qui semblaient émaner d'une cave.

— Priscilla !

Inquiet, ayant perdu de vue l'amazone, Guy l'appelait vainement. Trop tard, hélas, il réfléchissait aux conséquences que pouvait avoir une telle aventure. Il était un homme. Priscilla une adolescente. Que penserait Michaël de Landbridge, que penseraient les habitants du bourg, s'ils apprenaient que le Français et la fille du marquis s'étaient isolés dans un château abandonné, sans un chaperon pour contrôler leurs gestes ? Il ne voulait pas s'avouer que, toute adolescente qu'elle était, Priscilla avait éveillé sa curiosité et d'autres sentiments aussi, plus troubles, qu'il préférait ne pas analyser.

Elle avait la fraîcheur d'une gamine et, trop souvent, les attitudes, les regards d'une femme. Il la soupçonnait d'être une passionnée, une romanesque. Elle avait un corps merveilleusement sculpté. Et, avec un corps pareil, elle devait rêver à des choses interdites.

— Priscilla !

Le sentier longeait un précipice. Des buissons grêles, des arbres aux troncs tourmentés, dressaient une trompeuse barrière entre l'abîme et la terre ferme. Le bruit des sabots de Tigre ne résonnait plus. Où était Priscilla ? Guy avait cessé de l'appeler. Mâchoires crispées, nerfs tendus, il évitait de fixer le souffre, si proche. Quand il distingua enfin la façade du château, il retint avec peine une exclamation de joie.

Il n'y avait plus de portes, plus de fenêtres. Le vent, en hurlant, pénétrait dans les couloirs interminables, parcourait des salles immenses aux murs craquelés, heurtait avec sauvagerie tous les obstacles qu'il rencontrait. Mais Priscilla de Landbridge demeurait invisible !

Au hasard, la Maulière emprunta un corridor, puis un autre. Il ne se risquait pas à gravir les marches d'un escalier, sur lesquelles les siècles écoulés pesaient trop lourdement.

Il revint sur ses pas. Soudain, il perçut comme un craquement. Tout en prêtant l'oreille, il avança. Et il se trouva face à une porte fermée. L'unique porte sans doute dans cette bâtisse vouée à l'anéantissement. Il l'ouvrit. Il avait devant lui une chapelle. Avec stupeur, il constata que presque tous les vitraux étaient intacts. On y voyait des saints aux visages ingénus, des chérubins blottis sur des nuées roses. Non loin de l'autel, une Vierge de la Miséricorde semblait sourire au Christ géant qui dominait le décor.

— Guy...

Une silhouette, celle de Priscilla de Landbridge, se détachait dans la demi-pénombre. La Maulière s'approcha de cette silhouette aux contours irréels.

— Je vous ai cherchée partout. Pourquoi vous êtes-vous sauvée ?

Elle baissa les paupières. Et elle chuchota :

— Un jour, je serai votre femme, Guy. Vous m'épouserez. Parce que c'est notre destin d'être unis l'un à l'autre.

Elle le prit par la main et l'entraîna hors de la chapelle, sous une voûte.

— Vous ne savez pas encore vous-même que vous m'aimez.

Avec ce costume de cavalière, en drap brun, elle paraissait plus svelte encore, plus grande.

— Vous vous persuadez que je suis une gamine. Mais vos yeux me disent que je suis une femme, déjà.

La petite toque de velours noir qui la coiffait se confondait avec la frange de cheveux, noirs eux aussi, et pareils à du velours, qui dissimulait son front.

— Nous ne nous sommes rencontrés que six fois en tout. Car vous n'êtes venu que six fois dans ce bourg. Et pourtant, l'amitié est née entre nous. L'amitié, puis l'amour.

Soudain, elle se rapprocha de lui.

— Même si vous partez, même si le sort nous sépare pour un temps, je n'éprouverai ni jalousie, ni angoisse. Parce que, tôt ou tard, nos deux routes se rejoindront.

Il sourit.

— Avec quelle assurance vous bâtissez notre avenir ! Alors que nous ignorons de quoi demain sera fait.

— Demain ?

Tout à coup, après un coup d'œil effrayé autour d'elle, elle se blottit contre l'homme.

— Guy, nous serons peut-être séparés. Il y aura peut-être des tempêtes, des drames, des larmes... mais vous m'attendrez. Nous attendrons que l'ouragan s'apaise.

Elle leva vers lui son visage.

— Tu m'attendras, Guy. Parce que tu comprendras que tu m'aimes !

Espérait-elle une caresse, une étreinte plus précise ? Elle fut déçue. Il ne chercha pas ses lèvres. Il ne la toucha pas. Et lorsqu'elle se fit plus lourde contre lui, il s'écarta d'elle.

— Priscilla, Mary s'inquiète sûrement. Nous lui avons promis de ne pas nous attarder dans cet endroit désert et elle doit...

— Guy !

Elle avait crié son prénom.

— Guy, emmène-moi avec toi ! N'attendons pas que la tempête se déchaîne, que des drames éclatent et que je verse des pleurs !

Emu, bouleversé par ce cri qui ressemblait étrangement à un appel au secours, il la prit par les épaules et l'attira à lui.

— De quels drames parle-tu ? De quels pleurs ? Et à cause de qui les verserais-tu ?

Il la tutoyait, comme elle l'avait tutoyé, elle.

— Tu es si jeune, encore. Si jeune !

— J'ai déjà souffert, Guy. Quand j'ai perdu ma mère. Quand j'ai cessé d'être une enfant... sans une tendresse près de moi, pour me guider. Mon père, si bon, si généreux, n'a jamais été une présence. Il ne songeait qu'à mon bien-être, qu'à mon corps qu'il voulait éclatant de santé. Il oubliait que j'avais une âme.

Ses doigts se joignirent. Et, d'un ton suppliant, elle murmura :

— Embrasse-moi ? Comme un homme embrasse la femme qu'il aime.

— Priscilla, sais-tu qu'un autre que moi aurait profité de l'occasion pour...

— Sois cet autre ! Et donne-moi ce baiser que je te demande.

Il secoua la tête.

— Non !

Mary les guettait devant le portail de la ferme.

— Vous voilà enfin ! Ma parole, je vous croyais morts ! J'espère que personne ne vous a vus ? J'espère qu'on ne va pas se mettre à jaser dans le pays !

Elle était rouge de colère.

— Dépêchons-nous de rentrer ! Quelle histoire, mon Dieu, quelle histoire !

Elle ne paraissait pas s'apercevoir de la pâleur de Priscilla. Du silence de Guy de la Maulière.

Ils se rencontrèrent à nouveau, quelques semaines plus tard. Puis, encore et encore. Guy fit preuve de la même réserve, toujours, de la même camaraderie. Il avait la certitude absolue que la vision du château en ruines, de la chapelle aux vitraux scintillants, des salles immenses où le vent s'engouffrait en hurlant étaient les causes de la déclaration d'amour que Priscilla lui offrit un matin. Elle lui plaisait. A certains moments, il était obsédé par son image. A d'autres instants, il aurait sacrifié tout au monde pour la tenir dans ses bras, pour découvrir si elle savait vibrer et donner du plaisir.

Un soir, il lui dit :

— Je retourne en France, Priscilla. Je t'écrirai. Je reviendrai à Lamphire. Et toi, pourquoi ne ferais-tu pas un séjour à Londres? Ton père souhaiterait t'avoir auprès de lui. Il a des amis. Il reçoit beaucoup. Tu es belle, on te fera la cour. Et tu t'apercevras très vite que tu as cru m'aimer... parce que tu ne voyais que moi dans ce bourg.

Elle le regarda dans les yeux.

— Ne m'oublie pas, Guy.

Ses doigts, doucement, caressaient le visage de

l'homme. Alors, oubliant tout ce qui n'était pas cette caresse qui le bouleversait, il la saisit par les épaules. Il couvrit de baisers légers, rapides, ses joues, ses tempes, ses paupières... avant de prendre brutalement, rageusement presque, les lèvres qu'elle tendait vers lui.

A Paris, il ne pensa qu'à elle. Il n'eut qu'une idée : la retrouver au plus vite ! Mais quand, après des semaines d'absence, il accourut à Lamphire, les volets de la propriété étaient clos, le parc désert et il se dégageait des allées, des pelouses abandonnées une impression de mélancolie atroce. Il interrogea les gens. Et il apprit que Priscilla de Landbridge, désarçonnée par son pur-sang en pleine montagne, avait fait une chute qui aurait pu lui coûter la vie !

Sans perdre une seconde, la Maulière partit pour Londres. Le marquis, qui ignorait tout de son idylle avec Priscilla, confia à son secrétaire le soin de le recevoir. Quant à Priscilla elle-même, Guy ne réussit pas à l'approcher ! Seule Mary, la gouvernante, aurait pu lui fournir des renseignements plus précis. Mais elle se trouvait en Irelande, dans la maison de sa sœur, où elle se reposait après une grave maladie.

Ensuite, un autre drame éclata... plus ample, plus tragique ! En France, déchaîné soudain, le peuple réclamait la tête de son roi !

Des jours, des mois passèrent. Guy de la Maulière, pris dans le piège tendu par la police de Napoléon, fut blessé dans la rue, alors qu'il tentait d'échapper à ses poursuivants. Evanoui, perdant son sang en abondance, il dut son salut au capitaine d'un bateau chargé d'aristocrates français qui fuyaient les côtes de France.

D'autres mois s'écoulèrent. Guy était devenu le propriétaire d'un club élégant, le « Cambridge ». Il n'avait pas revu Priscilla. Et un coup de poignard en plein cœur ne l'aurait pas atteint avec plus de force que la nouvelle de son mariage avec le duc de Torking !

Comme tout le monde à Londres, il entendit parler du « miracle » attribué à Torking. Comme tant de gens à Londres, il soupçonnait Anthony d'être un dangereux aventurier.

Mais Priscilla l'avait choisi. Elle l'aimait sûrement. Désormais, elle appartenait à cet homme. Elle avait déclaré :

— Guy, nos deux routes se rejoindront un jour.

Elle s'était trompée ! Ou elle avait menti.

Il tenta de l'oublier. Les balles des policiers qui l'avaient atteint dans une rue de Paris, n'étaient rien comparées à la blessure dont il souffrait maintenant ! Il pensait que tout était fini. Que jamais plus il ne reverrait Priscilla... duchesse de Torking !

Et elle vint vers lui, un soir, alors qu'il se sentait seul désespérément ! Elle se blottit dans ses bras, elle pleura sur son épaule. Dans le salon, elle ôta la voilette qui dissimulait son visage. Sa robe, à la taille haute, à la large ceinture nouée sous la poitrine, à la jupe atteignant librement le sol, était en moire couleur émeraude. Une fine chaîne, à laquelle était fixée une croix minuscule, cerclait son cou. Elle était belle, tragiquement ! C'était une femme qu'il avait devant lui, maintenant. Une femme... à laquelle un autre que lui avait enseigné l'amour ! Et il devinait que cet amour, elle le portait en elle, comme on porte un enfant !

— Pourquoi es-tu venue ?

Elle se tenait sous le lustre. Ses cheveux, épars, recouvraient ses épaules.

— Pourquoi m'as-tu demandé si je t'avais attendue?

Elle se taisait.

— Que veux-tu de moi ?

— Guy...

Malgré eux, ils songeaient au château en ruines de

Lamphire, à la chapelle dont les vitraux étaient demeurés intacts, malgré le poids des ans.

— Guy, j'ai besoin de toi. Besoin de ton aide. Je n'en peux plus. Et je t'appelle à mon secours !

Elle s'approcha de lui.

— Tu as été ma première tendresse.

Sa voix changea, se fit sourde.

— Torking, ma première passion. Une passion trouble, sournoise, qui me brûle, qui me meurtrit toute... Et dont j'ai honte, affreusement !

Ils étaient face à face. Et elle lui parlait de l'autre !

— J'ignore si j'aime cet homme, mon mari. Je sais que, très souvent, je le hais avec une violence qui me remplit de peur.

Elle baissa la tête.

— Il m'a trahie ! Il continue à me trahir. Je connais les noms de ses maîtresses. Parmi elles, une fille, Lottie Mac Dawn... que n'importe qui peut acheter !

Ses mains se tendirent vers lui.

— Tu m'a repoussée, jadis.

Il détourna les yeux.

— Quand tu as compris enfin que tu ne pouvais pas vivre sans moi, il était trop tard ! Les médecins m'avaient condamnée à une immobilité totale. Et je savais que ce que tu m'offrirais ne serait que de la pitié !

Il n'avait pas pris les mains qu'elle tendait vers lui. Il cria :

— Tu as préféré la pitié de l'autre !

— Il m'est apparu... comme le sauveur.

— Et tu lui as tout donné ! Ton âme et ton corps. De quoi te plains-tu ?

— Mon corps n'est plus à moi, Guy. Mais mon âme j'essaie de la sauver !

— Et tu comptes sur mon aide ?

Questions et réponses se suivaient à un rythme rapide, se heurtant implacablement.

— Je compte sur notre amour. Il n'est pas mort, Guy. Lui seul pourra me libérer de mes chaînes.

Il la regarda.

— Les chaînes d'un mariage ! Qui donc pourra les rompre ?

— Le destin qui les a mises autour de mes poignets ! Et mon destin... c'est toi !

Plus bas, elle ajouta :

— Je ne te dis pas adieu !

— Quel miracle espères-tu ?

Elle ne parut pas entendre cette phrase. Elle mit sa voilette. Puis, à pas lents, elle sortit du salon.

La grille, en se refermant derrière elle, gémit longuement. Ce fut comme une plainte, dans la nuit.

Et aujourd'hui, Guy la Maulière se souvenait. Michaël de Landbridge était mort. Et le duc Anthony de Torking allait s'emparer des richesses, des trésors, accumulés depuis des siècles par les ancêtres du marquis.

Un miracle, ce miracle qu'espérait Priscilla, n'était plus possible, désormais !

CHAPITRE XV

Le duc Anthony de Torking fut exact au rendez-vous que lui avait fixé lady Manse. Il arborait avec ostentation un costume noir, pour bien montrer qu'il ressentait cruellement la mort de son beau-père. Dans le salon, où l'introduisit un domestique, il n'alluma pas de cigarette. Il resta debout. Un coup d'œil rapide lui permit de s'assurer que les meubles, de style sévillan, étaient en bois précieux de Muravia. Et que les soies qui les tapissaient étaient décorés de motifs finement travaillés à la main. Au hasard, il nota les bibelots derrière une vitrine. Plusieurs des statuettes devaient être en or massif. Lord Manse était un homme riche.

— Bonjour, mon cher duc.

Flora était vêtue de noir, également. Sa robe de brocart, d'une coupe austère, s'ornait d'un col fermé à ras du cou. Pas de fanfreluches, pas de bijoux, pas une note de clarté sur ce tissu couleur de deuil.

— Je vous remercie d'avoir répondu à mon appel. Depuis votre mariage, nous ne nous sommes guère vus.

D'un geste des doigts, elle lui indiqua un fauteuil.

— Ne voulant pas vous importuner par ma présence, pendant votre lune de miel, j'ai renoncé à faire des visites à Priscilla... qui, d'ailleurs, désertait Londres dès qu'elle le pouvait.

Il se demandait ce que signifiait ce préambule. Il se demandait pourquoi, elle qui possédait des cheveux si souples et si brillants, les avait tirés sur ses tempes, dénudant implacablement son visage.

— Dois-je vous rappeler que c'est moi qui ai... qui ai bâti votre bonheur ? Faut-il que je vous parle de nouveau de Sarley et du geste généreux que vous avez eu à mon égard ? Je pense que c'est inutile.

Il attendait. Il n'aimait pas le ton qu'elle avait adopté pour débiter son discours. Elle détachait chaque mot avec une exaspérante minutie. On aurait juré que plusieurs secondes s'écoulaient entre chacun d'eux.

— Nous allons donc abandonner ces images du passé, pour ne nous occuper que du présent.

Il se retint pour ne pas sourire. Le présent, pour lui, était d'une merveilleuse limpidité. Seule Priscilla avait droit à l'héritage du marquis. Mais si lady Manse désirait obtenir une récompense pour ce mariage qu'elle avait « organisé », on ne la lui refuserait pas. Il y avait suffisamment de bijoux dans les coffres du défunt pour faire le bonheur de Flora. Le testament serait ouvert dans quelques jours... une simple formalité !

— Je vous ai introduit dans la maison des Landbridge parce que, pour moi, vous étiez une sorte de héros, de personnage de légende.

Il ne protesta pas. Il la trouvait ridicule et pompeuse. Elle était là à lui prodiguer des compliments stupides, alors qu'il détenait maintenant tous les pouvoirs !

— Et quand j'ai parlé de vous à Priscilla, une Priscilla désemparée et solitaire, je vous ai dépeint comme un être honnête et bon. Car je n'ai pas prêté foi aux rumeurs qui me contredisaient impitoyablement !

— Vous avez fait preuve de sagesse et d'une grande confiance à mon égard. Le bonheur que j'ai apporté à Priscilla a réduit au silence tous ceux qui s'acharnaient à salir mon nom. Ne sommes-nous pas quittes, lady Manse ?

Elle ne répondit pas. Lentement, elle faisait aller et venir le long de son poignet son bracelet orné de breloques. Ce tintement imitait le cliquetis d'un chapelet qui se déroule. Torking poursuivit :

— Le marquis, qui m'honorait de sa confiance, lui aussi, était sur le point de me charger de la gestion de toutes ses affaires. Sa disparition si subite, si cruelle, ne changera en rien ses projets.

Il se leva.

— Je ne laisserai à personne le soin de faire fructifier les plantations qu'il possède aux colonies. Et je contrôlerai avec rigueur les livres de comptes que me soumettront ses fermiers, ses métayers, ses intendants.

Malgré lui, il avait pris la voix vibrante d'un prédicateur.

— Ces plantations, d'ailleurs, j'ai la ferme intention de les visiter. La santé de Michaël de Landbridge était trop fragile, pour qu'il se risque à effectuer un pareil voyage. Mais moi...

— Vous, vous êtes fort et prêt à toutes les audaces.

Ils se regardèrent. Elle ne jouait plus avec son bracelet. Elle avait croisé les bras. Ses yeux ne quittaient pas le visage de Torking. Doucement, elle dit :

— Or, il faut de l'audace pour s'aventurer dans ces pays, où vivent des peuplades que la civilisation n'a pas façonnées. Je vous conseille...

Elle s'interrompit. Après une pause brève, elle enchaîna :

— Je suppose que vous ne demanderez pas à Priscilla de vous suivre ?

— Naturellement !

— Elle sera inquiète, très inquiète, si vous n'emmenez pas avec vous quelqu'un... quelqu'un de sûr.

De nouveau, leurs regards se rencontrèrent.

— Qui suggérez-vous ? Quel homme pourrait...

— Je ne pensais pas à un homme, Torking.

— Je ne comprends pas.

Elle sourit. Et soudain, elle fut Flora Lansford, la mystérieuse, l'énigmatique créature, qui avait surgi devant Anthony à un coin de rue, par une nuit de brume.

— Je pensais à une femme. A des femmes. Je puis en citer plusieurs qui n'hésiteraient pas à tout abandonner afin d'avoir la joie d'être à vos côtés... pour le meilleur et pour le pire !

Elle déboutonna le col qui dissimulait son cou.

— Voulez-vous des noms ?

Il haussa les épaules. Qui était-elle, pour oser l'affronter, alors qu'il n'avait qu'un mot à dire pour que Priscilla l'écarte de leur foyer ? Si elle était demeurée dans l'ombre, il l'aurait supportée. Mais elle souhaitait jouer un rôle de premier plan et cela, il ne l'admettrait à aucun prix ! Il n'avait plus besoin d'elle. Elle menaçait de devenir « encombrante ». Elle ne paraissait pas se douter qu'il était le maître, à présent. Et elle, une intruse.

— Il y a d'abord Lottie Mac Dawn. Son lit, elle l'installe chaque soir sur le trottoir. Il y a Pamela Smith, une modiste. Norma Arrow, sans profession connue. Shirley Dougall, elle vend des fleurs à ses moments perdus. Du petit peuple !

Elle eut un rire de gorge qui se brisa très vite.

— J'ai fait exprès de garder pour la fin la dernière de vos conquêtes. Elle ne vaut guère mieux que les autres. Mais son lit est pourvu de draps de soie et il se trouve dans une chambre luxueusement meublée. Meublée par son mari... John Norstone ! De toutes, c'est elle la plus dangereuse ! Et c'est à cause d'elle que je vous ai convoqué ici, aujourd'hui.

Ce verbe « convoquer », que l'on emploie en s'adressant à un subalterne, atteignit Torking avec la force d'une gifle. D'un air insolent, il redressa sa haute taille.

— Je m'aperçois que votre « police personnelle » est bien renseignée. Je m'aperçois également que vous vous insinuez dans ma vie privée, que vous vous êtes muée en une espionne et que vous essayez d'exercer sur moi... un chantage !

Il s'avança vers elle. La haine en lui était presque palpable.

— J'ignore à quels mobiles vous avez obéi en m'introduisant chez les Landbridge, en complotant, en m'imposant une union...

— Qui vous a sauvé d'une misère certaine et peut-être même de la prison pour dettes et pour vos « exploits » dans les cercles de jeux !

Il était devenu très pâle. Elle vit ses poings serrés. Elle devina son désir sauvage de la frapper, de tout saccager dans ce salon. Et elle n'eut pas un mouvement de recul. D'une démarche alanguie, elle s'approcha d'un vase que décoraient des roses pourpres et caressa de sa joue les pétales de l'une des fleurs. Sans se tourner vers Torking, elle dit :

— Je me suis trompée sur votre compte, mon cher duc ! J'ai pensé que vous étiez une victime du sort. Je vous ai tendu la main. J'ai mis dans la vôtre la main de Patricia de Landbridge qui, elle, était une victime. Une vraie !

Brusquement, elle lui fit face.

— Nous sommes tous à la merci d'une erreur. Mais

mon erreur, je suis décidée à la réparer. Elle est trop grave !

Il éclata de rire.

— Réparer ? Trop tard ! La fortune de Michaël de Landbridge m'appartient. Comme m'appartient sa fille !

Tous bas, elle interrogea :

— Croyez-vous ?

Il rit encore. Mais il avait peur, soudain. Peur de cette femme qui semblait si sûre d'elle. Et il s'empressa de la narguer :

— Vous ne pouvez rien contre moi... lady Manse !

— Je ne suis plus lady Manse, Torking !

Il la regarda, comme on regarderait une démente.

— Je ne suis plus lady Manse, parce que Michaël de Landbridge m'a épousée... quelques semaines avant sa mort !

Il eut un sursaut.

— Vous mentez !

Brutalement, il la saisit par les poignets.

— Vous mentez ! Priscilla me l'aurait dit !

— Le mariage a été célébré secrètement. Et Priscilla n'était pas dans le secret.

D'un geste sec, elle libéra ses poignets.

— J'ai droit à une part de l'héritage, Torking. Et le marquis m'ayant fait des dons importants de son vivant, il se trouve que je possède la presque totalité de ses biens.

D'une voix à peine distincte, il répéta :

— Vous mentez !

— Non, Torking ! Et le notaire vous confirmera mes dires.

Il leva le bras, comme pour la châtier. Puis, son bras retomba le long de son corps.

— Vous êtes une intrigante, Flora Lansford ! Une créature ignoble. Ce lord Manse, votre premier mari, était lui aussi un homme âgé et malade, puisque vous lui avez servi d'infirmière et de gouvernante. Ensuite, vous avez choisi Landbridge, dont la santé était précaire.

Tendu vers elle, il criait.

— Vous lui avez joué la comédie du dévouement, comme à l'autre, à ce lord dont sans doute vous avez hâté la mort ! Vous avez réussi à gagner sa confiance. Et vous vous êtes débarrassée de sa fille... en me la donnant. Car vous me l'avez donnée !

Elle ne protesta pas. Elle s'amusait à faire tinter son bracelet orné de breloques.

— Pour atteindre votre but, il vous fallait un aristocrate démuni d'argent et prêt à tout pour échapper à la pauvreté. Et vous avez décidé que cet aristocrate... ce serait moi ! Osez prétendre le contraire !

Il tressaillit lorsque, tout à coup, elle s'approcha d'une table et, s'étant emparée d'une clochette, l'agita longuement.

La porte s'ouvrit presque aussitôt. Et un domestique apparut.

— Reconduisez le duc de Torking. Son temps est précieux. Et sûrement, on l'attend.

Elle tendit ses doigts à Anthony. Et elle lui accorda un sourire attendri. Le sourire que l'on accorde à un adversaire qui aurait été dépouillé de ses armes... avant le combat.

CHAPITRE XVI

Ce fut Flower Norstone qui, ce matin-là, se rendit chez sa mère. D'habitude, elle espaçait leurs rencontres. Mais aujourd'hui, elle savait que seule sa mère pouvait entendre sa confession et lui prodiguer des conseils. Flower avait passé une nuit des plus agitées. Des cauchemars vinrent sans cesse interrompre un sommeil qu'elle souhaitait ardemment. Pour la première fois de sa vie, elle était devant un mur immense, sans une issue, sans un moyen de le franchir. Et elle, qui dirigeait toujours sa propre barque, s'était décidée à faire appel à l'expérience d'une autre. En effet, malgré une existence prude, Gwendoline Hoggins avait l'âme d'une intrigante. Et, si elle l'avait osé, elle aurait donné libre cours à ses instincts de courtisane, que des lois bourgeoises maintenaient dans le droit chemin. Mais ces instincts, qu'elle avait freinés, elle ne demandait qu'à les encourager chez sa fille. Sans doute lui semblait-il qu'elle retrouvait un peu de sa jeunesse et que c'était elle qui vivait les aventures de Flower.

Issue d'une famille modeste, elle connaissait le prix de l'argent. Son mari, un timide, un obscur, n'avait jamais su s'imposer. Et Gwendoline fut contrainte à une existence où il lui fallait sans cesse se livrer à des calculs impitoyables afin d'équilibrer son budget. Quand Flower épousa lord John Norstone, elle poussa un soupir de soulagement. John avait des rentes, des terres. Mais il lui aurait été impossible de satisfaire les caprices coûteux de sa femme. Aussi Gwendoline Hoggins ferma-t-elle les yeux, lorsque Flower demanda à d'autres, les cadeaux que ne pouvait pas lui offrir son mari. Elle disait à John que les joyaux qu'elle recevait étaient des bijoux de pacotille que lui achetait sa mère. Et lord Norston n'exigeait pas de plus amples détails.

Toutes les intrigues amoureuses et secrètes de Flower, Gwendoline les avait presque toujours approuvées. Mais cet idylle avec le duc Anthony de Torking, elle l'estimait dangereuse. À cause de la personnalité de Anthony, du bruit fait autour de son nom au moment de son mariage avec Priscilla de Landbridge. Une telle liaison présentait des risques innombrables. Les sommes, souvent très considérables que Torking dépensait pour ses plaisirs, il les puisait dans les coffres de sa femme. Priscilla avait beau être très éprise de lui, cette passion ne justifiait pas les imprudences que commettait le duc. Et si un scandale éclatait, Flower serait infailliblement mêlée à ce scandale !

Installée dans son boudoir, Gwendoline Hoggins réfléchissait à tout cela. En voyant apparaître Flower à une heure aussi matinale, elle se dressa d'un mouvement inquiet.

— Que se passe-t-il ?

La mine boudeuse de sa fille, ses traits tirés, n'étaient pas faits pour lui apporter de l'apaisement.

— Une rupture ? Torking aurait-il eu l'audace de t'abandonner, après...

— Tu permets que j'enlève mon chapeau et mes gants ? Tu m'interrogeras ensuite.

Tenaillée par l'impatience, Gwendoline attendit donc. Puis comme Flower s'attardait devant la glace, elle s'exclama :

— Vas-tu parler, oui ou non ?

— Oui, je vais parler. Mais l'histoire que tu entendras n'a rien de réjouissant.

Elle se pencha vers le miroir un peu plus et hocha la tête.

— Dieu, que je suis pâle ! Quand j'ai des ennuis, je vieillis de dix ans.

— Quels ennuis ? Michaël de Landbridge est mort. Et...

— Il laisse une veuve, ma petite mère. Une veuve !

Gwendoline écarquilla les yeux.

— Que me chantes-tu là ? Sa femme repose dans le cimetière de Pegson. Il allait, chaque mois, se recueillir sur sa tombe.

Les lèvres de Flower étaient pincées. D'un ton cinglant, elle proféra :

— Allons, ne joue pas à l'enfant naïve. Tu sais fort bien qu'aucun chagrin n'est éternel. Et le marquis a trouvé quelqu'un pour le consoler.. et pour lui extorquer la presque totalité de sa fortune !

— Ce n'est pas possible ! Je ne puis croire à une chose pareille ! Je ne puis croire que cet homme chétif, effacé, continuellement malade, ait pris le temps de songer à l'amour !

— Quel amour ? Il ne s'agit pas d'amour, mais de billets de banque, uniquement !

Le souffle de Gwendoline Hoggins s'était fait pesant. Avec effort, elle prononça :

— Qui est-ce ? Une fille ?

— Hélas non ! Avec une fille, tout aurait été plus simple. Anthony l'aurait menacée, traînée devant les tribunaux. Prise de peur, craignant de tout perdre, elle se serait contentée d'un... d'un « pourboire » !

De cette même voix qui semblait venir de loin, Gwendoline répéta :

— Qui est-ce ?

— Lady Manse !

Gwendoline recula. Ses doigts tâtonnèrent et agrippèrent le dossier d'un fauteuil. Elle étouffait. Sans lui accorder un regard, Flower enchaîna :

— Une renarde, cette femme ! Rusée, sournoise. Personne ne se doutait que le marquis et elle se rencontraient en cachette. Même Priscilla, qui la voyait presque journellement, n'a jamais eu le moindre soupçon.

— Tu es sûre qu'il l'a épousée ?

— Oui ! Anthony a consulté un avocat. Personne au monde ne peut la contraindre à restituer les dons que le marquis lui a faits de son vivant.

— C'est atroce... ce que tu m'apprends-là ! J'en suis toute bouleversée. Alors, le contenu des coffres...

— Elle a tout accaparé ! Tout ! Priscilla n'obtient que... que des miettes !

D'un mouvement las, Gwendoline s'installa dans le fauteuil. Durant plusieurs secondes, elle s'éventa de ses mains grandes ouvertes. Sourcils froncés, elle réfléchissait.

— Landbrige n'avait pas le droit de déshériter sa fille. Il y a une loi.

— Quelle loi ? Puisque c'est de son vivant que le marquis a comblé cette femme de cadeaux. Les terres, les domaines, les fermes qu'elle a reçus en guise de présents, lui appartiennent légalement. Et jamais elle ne consentira à s'en séparer. C'est elle qui gagne.

Gwendoline s'éventa avec plus de nervosité. Ses

doigts heurtaient sa poitrine. Tout à coup, à brûle-pourpoint, elle demanda :

— Tu l'aimes ?

Elle pensait à Torking. Flower le comprit aussitôt.

— Il me plaisait.

S'aperçut-elle que ce verbe, elle l'avait mis au passé?

— Que vas-tu faire de lui ?

Flower ne répondit pas. Cette question était trop brutale, trop précise. On ne pouvait pas l'éluder.

— Il faut l'éloigner de toi, Flower ! L'éloigner au plus vite. Il traîne à sa suite le malheur.

— Bah ! Tes superstitions, tes balivernes, toujours ! Rien ne presse.

Gwendoline Hoggins se leva.

— Si cette femme a l'intention de le détruire, elle emploiera tous les moyens. Et tu seras précipitée dans le même abîme.

Elle vit, à l'expression de Flower, qu'elle avait frappé juste. Elle attaqua avec plus de force :

— A toi de juger si Torking mérite un pareil sacrifice. Car dis-toi bien que c'est ton avenir qui est en jeu. Oui, tout ton avenir. Lui, il tirera toujours son épingle du jeu. Mais toi, sauras-tu remonter la pente ?

Flower arpentait la pièce. Le bruit de ses pas saccadés couvrait le tic-tac de la pendule sur la cheminée.

— Je suppose qu'il va tenter de « pactiser » avec la nouvelle marquise de Landbridge. Peut-être essaiera-t-il de la séduire. Il n'est pas de ceux qui se résignent, qui acceptent la défaite. Il voudra ruser, tricher, endormir les soupçons de l'adversaire. Si elle est une renarde, lui est un fauve... malfaisant, toujours sur le qui-vive.

— Tais-toi !

Flower s'était immobilisée, brusquement, en lançant cet ordre.

— Rompre, c'est facile. Je préfère attendre. Attendre la riposte de Anthony. Et j'ai la certitude absolue que cette riposte précipitera les événements.

— Flower...

La voix de Gwendoline était suppliante.

— Flower, chasse cet homme de ta vie ! Si tu ne suis pas mon conseil, tu le regretteras un jour. Amèrement.

Rapide, Flower mit son chapeau, ses gants. Et, en courant presque, elle sortit de la pièce.

Restée seule, Gwendoline s'allongea sur le divan. Et elle joignit sur sa poitrine ses mains qui tremblaient.

CHAPITRE XV

Debout devant la fenêtre, Priscilla contemplait le parc. Après une matinée ensoleillée, le ciel s'était teinté de sombre. Des gouttes de pluie commencèrent à tomber, pour se transformer bientôt en une averse rageuse. Par moments, on percevait les grondements assourdis du tonnerre, qui se mêlaient au fracas de l'orage.

Priscilla frissonna. Sa robe, très légère, la protégeait mal contre l'humidité qui s'insinuait dans la chambre. Mais ce n'était pas cette humidité dans l'atmosphère qui la faisait frissonner toute. C'était la fatigue inhumane qui accablait son corps. Depuis des heures, des pensées innombarbles, contradictoires, chaotiques, se heurtaient dans sa tête. Elle ne parvenait pas à les classer, à freiner leur ronde diabolique. Le temps n'existait plus. Le passé, le présent se confondaient, s'enchevêtraient pour céder la place finalement à une sorte de « no man's land » où rien ne séparait plus le rêve de la réalité. Et, telle une noyée, Priscilla cherchait désespérément un point stable dans cet univers fantastique qui semblait peuplé de fantômes.

Elle n'avait pas revu la femme qui portait maintenant le nom de son père. Elle ne souhaitait pas rencontrer Flora ,devenue la marquise de Landbridge. Elle ne comprenait pas pourquoi son père, qui se disait son ami, avait tenu à se marier secrètement. Comme s'il commettait un crime. Et le comportement de Flora demeurait pour elle un mystère. Ce n'était pas par amour qu'elle avait épousé un homme âgé et diminué physiquement. Jamais on n'aurait cru qu'elle était capable de calculs mesquins, d'intrigues et de bassesses. Elle donnait l'impression d'une créature sincère et dévouée jusqu'au renoncement. Elle se montrait toujours prévenante, respectueuse même, à l'égard de Michaël de Landbridge. Elle se préoccupait de sa santé, elle lui rendait visite lorsqu'il était malade. Ses gestes, apaisants, faisaient songer à ceux d'une infirmière. Dans ses yeux, quand elle regardait le marquis, il y avait de la pitié, de l'affection... mais pas l'ombre d'une passion cachée. Pourquoi, soudain, avait-elle changé d'attitude, d'âme ? Que s'était-il passé en elle ?

Priscilla se refusait à admettre que lady Manse ait accepté de « se vendre » à un être qui ne lui inspirait que de la compassion. Elle ne manquait pas d'argent. Elle menait une existence douillette. Elle n'était pas avide de luxe, elle s'habillait simplement. Elle ne portait pas de bijoux. Alors, pourquoi ce mariage ? Pourquoi Landbridge n'avait-il pas hésité à déposséder sa propre fille des biens qui auraient dû lui revenir légalement... et ceci au profit d'une étrangère ? De quels arguments s'était servie Flora ? Quelle sorte d'emprise exerçait-elle sur le marquis ? Lui qui, depuis la mort brutale de sa femme, avait rayé de son vocabulaire les mots : volupté et amour ?

Debout près de la fenêtre de sa chambre, Priscilla de Torking essayait de comprendre, de découvrir la vérité.

Elle ne songeait pas à se révolter contre Flora, ou

de la haïr. Elle ne réfléchissait pas aux conséquences, tragiques pour elle, de cette union tardive de son père avec une inconnue.

Car Flora était une inconnue. Mais non un monstre. Malgré les accusations de Anthony. Malgré l'évidence.

Anthony disait :

— C'est une voleuse ! Et elle a tous les vices ! Elle s'attaque à des « vieux », qu'elle subjugue... afin de s'emparer de leurs richesses, sans se soucier des drames qu'elle provoque. Elle mérite qu'on la juge. Et qu'on la pende !

A ces minutes-là, quand il prononçait ces mots, il y avait comme des lueurs de meurtre dans les yeux de Torking.

— Tu devrais lui parler, Priscilla ! Elle prétendait t'aimer.

Des phrases... alors qu'il était trop tard déjà !

Dehors, l'averse continuait sa bruyante cavalcade. Des flaques d'une eau grisâtre criblaient les allées.

— Elle a hâté la mort de lord Manse. Comme elle a sans doute hâté celle de ton père !

Torking disait cela, répétait cela inlassablement. Pour lui, Flora était une aventurière, doublée d'une criminelle. Et il ne pouvait rien contre elle !

Priscilla s'écarta de la fenêtre et alla se blottir sur le divan. L'existence qu'il lui faudrait mener à présent ne l'effrayait pas. Il lui restait encore des terres, cette maison. Et surtout, surtout cette propriété de Lamphire à laquelle elle tenait tant. Si on l'avait dépossédée de ce domaine, elle aurait souffert atrocement. Là-bas, étaient nés ses premiers rêves. Là-bas, elle avait senti s'éveiller en elle tout un monde de désirs.

Les paupières de Priscilla se fermèrent. Et le sommeil la prit, alors qu'elle ne l'espérait plus. Une heure s'écoula, puis une autre. Un craquement dans la pièce arracha la femme à cette torpeur, qu'elle avait tant souhaitée. Elle se redressa. Et elle vit Torking, debout près du divan.

— Anthony ! Depuis combien de temps es-tu là ? Que faisais-tu ?

— Je te regardais dormir.

Elle passa sa main sur son front.

— Je contemplais l'averse. Et, tout à coup, les forces m'ont manqué.

Il s'assit à côté d'elle.

— Tu pensais à tes malheurs ?

— Je pensais à mon père.

— Il t'a trahie !

Elle garda le silence.

— Priscilla...

Elle devina qu'il allait lui faire mal. Mal non pas à son corps. Mais aux rêves qui vivaient encore en elle et qu'il détruirait sûrement !

— Priscilla, j'ai eu une conversation avec le notaire. Les plantations, à la Jamaïque, t'appartiennent. Cette créature a bien voulu te les laisser.

Immobile, retenant son souffle, elle attendait.

— Bien avant la disparition de Michaël de Landbridge, j'avais l'intention de faire ce voyage. Maintenant, il s'agit de fixer une date, de prendre une décision au plus vite. Il faut que je parte !

Il ne l'avait pas attirée à lui. Il n'avait pas caressé ses tempes que meurtrissait une migraine affreuse. Son ton, officiel, l'expression dure de son visage, excluaient toute intimité entre eux, toute poésie.

— Je te demande pardon. Je sais que tu souhaiterais ne pas parler de ces choses-là, en ce moment. Mais il y a des problèmes urgents, très urgents à résoudre. Si je ne dispose pas de capitaux suffisants, il me sera impossible de me mettre en route. Tu te rends compte, n'est-ce pas, des frais qu'implique une pareille aventure ?

L'argent ! L'argent, toujours. Elle éprouvait comme une nausée. Elle aurait voulu repousser cet homme, se sauver de cette chambre, pour fuir, fuir n'importe où !

— En négociant la ferme de Cramm et la métairie de Boyd, je parviendrai à réunir des sommes assez importantes. Mais j'ai besoin de ton accord.

— Je te le donne, Anthony.

— Il me le faut... par écrit.

— Tu l'auras.

Il eut un sourire, fugitif. Il tressaillit lorsqu'elle dit, tout à coup :

— Tu peux tout vendre ! Tout. Sauf mon domaine de Lamphire.

Il se mit debout. Et il murmura :

— Lève-toi, ma vie. Viens dans mes bras. J'ai une confession à te faire.

Comme elle ne lui obéissait pas assez vite, il la saisit par les épaules et, avec brutalité presque, l'obligea à quitter sa place sur le divan.

— Ecoute-moi...

Il la serrait contre lui. Ses doigts avaient encerclé le cou de Priscilla. Elle tremblait toute.

— Le domaine de Lamphire n'est plus à toi.

— Il n'est plus à moi ? Que veux-tu dire ?

— Je suis un fou, Priscilla ! Un fou !

D'une voix sourde, elle répéta :

— Que veux-tu dire ?

— Pour oublier ce drame qui s'est abattu sur nous, je suis entré dans un tripot. Auparavant, j'avais bu. J'avais bu beaucoup.

Elle écoutait. Son souffle était rapide.

— J'ai joué. J'ai perdu.

— Combien ?

— Ma bourse était vide. C'est Lamphire... que j'ai joué !

Elle s'écarta de lui, d'un élan sauvage.

— Tu as osé ?

— Ne l'ai-je pas dit que j'étais un fou ?

— Qui t'a permis, Torking ? Qui t'a permis de disposer de mon bien ?

Soudain, lourdement, il s'agenouilla près d'elle.

— Méprise-moi ! Injurie-moi ! Mais n'oublie pas que je t'aime !

On aurait juré qu'il pleurait. Il avait l'air d'un enfant faisant sa prière.

— Oui, je t'aime. Je t'aime, mon cœur !

Devina-t-il qu'elle allait lui parler de ses trahisons, de ses maîtresses, des filles qu'il avait « ramassées » au hasard de ses flâneries noctunes ? Très vite, il ajouta :

— Je t'ai trompée, Priscilla. Je me suis conduit comme un misérable. J'ai été lâche, aussi. Mais tu es restée mon amour, mon seul, mon unique amour !

Ses bras emprisonnaient les genoux de la femme. Ses lèvres caressaient le bas de sa jupe.

— Tu ne m'injuries pas ? Tu ne songes pas à me frapper ?

Lentement, il se redressa. Il y avait des larmes dans ses yeux. Il était beau, tragiquement, cruellement.

— Dis quelque chose, ma douce ! Mais ne me regarde pas ainsi ! Je suis là, près de toi. Le reste ne compte pas ! Le reste n'était que folie !

Elle pensait à Lamphire. Au château en ruines. A la chapelle, avec ses vitraux mauves et roses. Elle pensait à Guy.

— Priscilla, nous allons partir tous les deux. Là-bas, aux colonies, je te prouverai que je sais lutter. Que je ne suis pas un misérable !

Il voulut dégrafer son corsage. Il voulut la renverser sur le divan. N'était-il pas le plus fort ? Et ne vibrait-elle pas toute, dès qu'il la touchait ?

— Non !

Elle se dégagea. Elle bondit vers la porte. Elle traversa le parc que cinglait la pluie.

Quand, enfin, elle monta dans la diligence, les yeux de tous les voyageurs se fixèrent sur elle. Elle grelottait. Sa robe, alourdie d'eau, semblait adhérer à son corps secoué de frissons...

CHAPITRE XVII

Un étrange crépuscule, tout en demi-teintes, répandait comme de l'apaisement sur les plaines, sur la vallée qui s'étendaient au pied de la montagne. Même le sentier, en bordure du précipice, n'avait plus l'aspect d'un reptile sinueux, prêt à sombrer dans le gouffre. Au loin, sur l'un des pans de la montagne, se détachait la silhouette d'un berger. Les moutons, les chèvres qu'il gardait, points minuscules, faisaient songer à des jouets d'enfant. Le tronc d'un arbre, déraciné par un précédent orage, se dressait comme une croix dans un cimetière abandonné. Des écureuils menaient une ronde sur les branches d'un chêne. Les feuilles qu'ils déchiquetaient, s'abattaient en cascade sur le sol. Une pie sautillait près d'un buisson. On aurait dit une marionnette aux fils mal réglés. Le soleil couchant donnait l'impression qu'un incendie géant ravageait des forêts entières. Malgré soi, en contemplant un tel spectacle, on se souvenait des tragiques visions de l'Apocalypse.

Tigre, le pur-sang que montait Priscilla de Torking, ne prêtait nulle attention aux fluides sournois dans l'atmosphère. Son galop était régulier. Par instants, des souffles d'un air chaud faisaient voleter l'écume blanchâtre qui cerclait ses naseaux. Sa croupe était luisante de sueur. Pas une fois Priscilla ne s'était servie de sa cravache. Pas une fois elle n'avait indiqué à Tigre la route qu'il devait suivre. Il connaissait la moindre pierre, la moindre touffe d'herbe et il savait distinguer l'appel de chaque oiseau. Les pièges tendus par la nature, les ornières, il les évitait avec une adresse inégalable.

Les cheveux de Priscilla, répandus sur ses épaules, ondoyaient comme un voile sombre. Elle était vêtue de noir. La fatigue avait creusé ses joues, amenuisé son visage. Elle se trouvait à sa place, dans ce décor. Telle une guerrière, après un trop long combat, elle semblait fuir vers un refuge. Les ténèbres qui approchaient, la lumière du jour qui s'estompait étaient comme une toile de fond fantastique, peinte par un artiste dément.

— Non, Tigre ! A droite !

Enfin, elle sauta à terre. Elle prit une mantille dans la sacoche fixée à la selle et en recouvrit sa tête. Puis, elle avança vers le château en ruines. Un pèlerinage... et qu'aucune force au monde n'aurait pu l'empêcher de faire. Pourquoi ? Pourquoi avait-elle voulu revenir à Lamphire ? Quelles images, quels souvenirs désirrait-elle évoquer ? Dans quelques jours, un étranger entrerait en possession d'un domaine qu'elle adorait. Un domaine qu'il avait gagné au jeu, dans un tripot !

A pas lents, elle franchit la distance qui la séparait de la bâtisse à la façade meurtrie. Sous le soleil qui se mourait, les tourelles, le donjon, les balconnets paraissaient éclaboussés de sang. On aurait juré que des taches écarlates les marquaient par endroits. Dans la première salle, où les cris du vent imitaient le grondement du tonnerre, deux statues aux bras mutilés montaient une garde inutile. Quelque part, des moineaux pépiaient. Et ces pépiements étaient les seuls accents vivants, dans cette demeure isolée du reste du monde.

Priscilla de Torking ouvrit la porte de la chapelle. Elle jeta un coup d'œil vers les saints aux expressions ingénues. Puis, mue par un élan irrésistible, elle marcha vers la Vierge de la Miséricorde. Elle n'avait pas entendu le bruit d'une cavalcade, dehors. Elle n'entendit pas non plus le grincement de la porte qui s'écartait à nouveau. Elle ne voyait que la Vierge... et son sourire empreint d'une déchirante mélancolie.

— Priscilla...

Elle crut qu'elle rêvait. Elle ne se retourna pas.

— Priscilla...

Quand des doigts, soudain, se posèrent sur ses épaules, elle se rejeta en arrière.

— Guy !

De toute son âme, elle avait espéré cette rencontre. Mais elle ne pouvait pas supposer que son souhait serait exaucé aussi vite. Et que cet homme, qu'elle n'osait plus appeler au secours, lui apparaîtrait dans cette chapelle où, jadis, elle lui avait avoué qu'elle l'aimait ! Comment savait-il qu'elle viendrait à Lamphire ? Comment avait-il deviné l'heure, le jour ? Comment avait-il senti qu'elle était désemparée, livrée à elle-même... seule avec son enfer ?

— Guy, les années ont passé. Et nous sommes là, face à face, une fois encore, comme jadis.

— Pas comme jadis, Priscilla. Alors, tu étais libre !

Côte à côte, ils se dirigèrent vers la porte. Dehors, elle s'adossa contre un arbre et appuya sa nuque sur l'écorce craquelée.

— Tu n'as pas voulu de moi quand j'étais libre. Tu n'avais pas confiance.

Il encercla de ses bras le tronc de l'arbre. Sa poitrine pesait sur celle de Priscilla.

— Tu ne m'aimais pas vraiment. C'était l'autre que, inconsciemment, tu attendais déjà. C'est lui qui t'a éveillée à l'amour.

Il se pencha vers elle. Et, tout près de son oreille, il murmura :

— Moi, j'étais l'ami. En lui, tu as vu... l'amant !

— Tu te trompes ! A t'entendre, on croirait que j'ai le vice dans le sang !

Il la regarda dans les yeux. Et elle baissa les paupières.

— Si tu n'avais pas eu besoin de ses caresses, aurais-tu accepté, aurais-tu admis tout ce que tu as admis depuis ton mariage ?

— Je t'interdis de me parler ainsi ! Est-ce pour me prouver que je ne suis qu'un... qu'un corps, que tu es venu ici aujourd'hui ? Tu ne vois donc pas que je lutte et que je souffre ?

— Contre qui luttes-tu, Priscilla ? Contre lui, ou contre toi-même ? Et si c'est contre toi-même, souhaites-tu réellement la victoire ?

— Je la souhaite !

— Alors... quitte cet homme.

Lentement, les paupières de Priscilla se soulevèrent. D'une voix sans timbre, elle interrogea :

— La fuite ?

— Non, assez de lâchetés ! Le divorce.

Elle ne put réprimer un sursaut.

— Ce mot te fait peur ? Tu estimes que les liens du mariage sont sacrés. Mais lui, a-t-il tenu compte de ces liens ? Il t'a trahie, humiliée, impitoyablement. Tu as perdu tout orgueil; toute dignité.

Elle tenta de le repousser. Mais n'y parvint pas.

— Et tu prétends que...

Il n'eut pas le temps d'achever sa phrase. Ayant réussi à se libérer de son étreinte, elle lui échappa. Et, comme une folle, elle se mit à courir vers le sentier.

— Priscilla !

Il se lança à sa poursuite. Mais ce n'était pas la silhouette mouvante de Priscilla que fixaient ses yeux... c'était le précipice que dissimulait une haie de buissons.

— Priscilla !

Il hurlait.

— Ne va pas plus loin ! Reviens !

Soudain, elle trébucha. Elle tendit ses bras, tenta de reprendre sa course. Puis s'affaissa sur le sol.

— Mon amour...

Il l'avait soulevée de terre.

— Mon pauvre amour.

Blottie contre lui, elle pleurait doucement.

— Tu espérais des paroles de consolation. Et je t'ai offert des insultes.

Il avançait avec lenteur, le regard rivé sur les buissons derrière lesquels rôdait la mort.

— Tu pleures. Et ce chagrin, c'est moi qui l'ai provoqué !

Il ne songeait plus à la mépriser. Elle n'était pas une coupable, mais une condamnée. Par perversité et parce qu'une telle expérience était nouvelle pour lui, Torking avait pris un plaisir trouble à transformer une fille sage en une sorte de « possédée ». Il avait su ne pas agir trop brutalement, afin de ne pas effaroucher sa victime. La « drogue » qui devait la mettre à sa merci, il s'était évertué à la lui administrer par petites doses, savamment. Il fallait qu'elle s'habitue à ce poison, qu'elle le réclame, qu'elle ne puisse plus vivre sans lui. Seul un personnage comme Torking pouvait réussir un pareil exploit ! Car en s'attaquant à une Priscilla de Landbridge, c'était à la pureté, à la morale, à la pudeur qu'il s'attaquait. Quoi de plus passionnant, pour un « hors-la-loi » que d'anéantir de pareils édifices ? Cette drogue malfaisante, préparée par le duc de Torking, coulait à présent dans les veines de Priscilla, mêlée à son sang !

La Maulière s'immobilisa. Avec des précautions infinies, il déposa son fardeau sur un lit d'herbe.

— Priscilla, je me suis montré cruel. Mais il faut que tu comprennes, mon ange. Que tu essaies de comprendre ce que j'éprouve et les tourments que j'endure.

Il s'était agenouillé près d'elle.

— As-tu réfléchi à ce que peuvent être mes nuits... quand tu es avec l'autre ?

D'un ton suppliant, il murmura :

— Dis-moi que tu me comprends !

Pour toute réponse, elle prit la main de Guy et l'appuya contre ses lèvres.

— Non, Priscilla !

Il retira sa main.

— Tu as l'air d'implorer mon pardon. Et tu n'as commis aucune faute. Les circonstances, la crise affreuse que tu traversais, ont favorisé les plans de Torking. Lorsqu'il t'est apparu, abandonnée par les médecins, tu n'attendais plus rien du sort. D'emblée, il a eu droit à une auréole. Tu as placé en lui ta confiance. Toute ta confiance. Il a été le miracle, la révélation. Quand tu t'es aperçue qu'il était également la destruction et le vice, tu ne pouvait plus lui échapper !

Elle ne pleurait plus. Ses yeux étaient secs, étrangement brillants.

— D'ailleurs, cette évasion la souhaitais-tu vraiment ?

Il s'était dressé et, la saisissant par les épaules, l'avait arrachée au lit d'herbe sur lequel elle paraissait vouloir rester toujours...

— Très vite, tu as découvert qu'il n'avait rien d'un héros. Et tu es demeurée à ses côtés.

— Je le hais, Guy ! Je le hais !

— Et tu n'as pas la force de le fuir.

— Donne-moi cette force ! Protège-moi contre lui ! Sauve moi !

Il secoua la tête.

— Non, Priscilla. Cette force tu la trouveras un jour. Elle existe. Tu la détiens. Tu lui obéiras, tôt ou tard. Et alors, les grilles de ta prison s'écarteront d'elles-mêmes. Ces grilles que personne d'autre ne peut ouvrir à ta place.

— Tu me désertes, Guy. Et je t'ai appelé au secours !

Il l'attira à lui.

— Quel secours puis-je t'apporter... puisque ta souffrance, tu l'aimes ? Notre association serait une tromperie ! Entre nous, toujours, il y aura... cet homme et les désirs qu'il a éveillés en toi !

— Un adieu, Guy ? C'est un adieu, n'est-ce pas?

— Non. Un temps d'arrêt. Une pause, dont dépendent plusieurs destins.

Elle cria :

— Tu veux que je me batte toute seule ?

— Oui, Priscilla. Si je lutte à tes côtés, tu ne verras pas clair en toi-même.

Elle regarda la vallée, au loin. Que ferait-elle, si Torking décidait de partir pour la Jamaïque ? Si elle le suivait, ce voyage hâterait-il la rupture entre eux, ou bien consoliderait-il au contraire leur pitoyable union ? Là-bas, séparé de Londres et de ses tentations, ne deviendrait-il pas un autre homme ? Ne prendrait-il pas conscience de ses responsabilités ? N'éprouverait-il pas des remords, enfin ?

— Je suis une folle ! J'espère encore et malgré tout.

Elle avait parlé pour elle-même, tout bas. Mais la Maulière entendit ces mots, chuchotés d'une voix vaincue.

— Quand tu renonceras à espérer, Priscilla... je serai là pour t'accueillir.

La pénombre avait envahi ce coin de la montagne. On ne remarquait plus comme des taches pourpres sur les tourelles du château en ruines, sur les balconnets, sur le donjon. Le vent ne proférait plus ses menaces. Alanguie soudain, la nature guettait l'approche de la nuit.

— Je t'attendrai ici, à Lamphire...

Elle tressaillit.

— Lamphire ?

Elle appuya ses doigts sur ses tempes. Et, d'une voix déchirante, elle s'exclama :

— Le domaine de Lamphire ne m'appartient plus ! Il me sera impossible de pénétrer dans cette maison, où je suis née et où je laisserai tant de souvenirs !

— Qui donc peut t'empêcher d'entrer dans cette maison ?

— Son nouveau propriétaire.

Ses yeux évitaient ceux de Guy. Elle avait l'air d'une mendiante, chassée de partout.

— Torking est entré dans un tripot, un soir. Il a joué. Il a perdu !

La voix de Priscilla parut se briser.

— N'ayant plus d'argent...

Elle n'acheva pas sa phrase. Doucement, la Maulière dit :

— Je savais tout cela. Ce n'est pas dans un tripot, mais dans mon établissement, le « Cambridge », que s'est déroulée cette scène... à laquelle j'ai assisté.

Elle avait baissé la tête. La honte pesait sur son échine, meurtrissait sa nuque, son corps tout entier.

— L'homme qui a « gagné » Lamphire s'appelle Jonathan de Fair. Un ami.

Elle leva la tête. Mais elle ne parla pas. Ce fut lui qui dit :

— Je lui ai remis aussitôt la somme que lui devait le duc de Torking.

— Alors, c'est toi... c'est à toi qu'appartient ce domaine ?

— Non, Priscilla, rien n'est changé. Et tu possèdes toujours ces terres et cette habitation.

Il crut qu'elle allait défaillir. Il la serra contre lui, plus étroitement.

— Merci, Guy.

Il endurait le martyre. Des jours, des mois de tourments, pour se voir offrir... de la gratitude !

— Je t'aime, Guy ! Je t'aime !

La nuit était venue. Et lentement, implacablement, elle avait encerclé leurs deux silhouettes, placées comme des statues, face à la vallée.

CHAPITRE XVIII

Flower Norstone avait organisé une petite réception chez elle. Elle devait des politesses aux nombreuses personnes chez lesquelles elle avait été reçue à maintes reprises et elle décida de les convier toutes à un souper, le même soir.

Une heure avant l'arrivée de ses invités, elle procéda à sa toilette. Tout en passant en revue ses robes, afin de fixer son choix sur l'une d'elles, elle se livrait à d'amères réflexions. Elle n'était pas d'humeur à prodiguer des sourires à des indifférents, à écouter leurs compliments et leurs plaisanteries stupides. Sans les insistances de sa mère, jamais elle n'aurait eu l'idée de réunir chez elle des gens qui ne l'intéressaient nullement.

Pourtant, malgré sa colère, elle essaya plusieurs coiffures. Et elle s'apprêtait à appeler Tina lorsqu'elle entendit dans l'escalier les pas pesants de Gwendoline Hoggins. Que lui voulait-elle encore ? Et quand cesserait-elle de lui faire des visites, à n'importe quel moment, sans prendre la peine de l'avertir ?

— Je ne te dérange pas, ma chérie ?

Gwendoline, qui luttait en vain contre un embonpoint de plus en plus visible, respirait avec difficulté. Un souffle saccadé soulevait son corsage. On devinait que son corset, devenu trop étroit, comprimait implacablement sa taille épaisse. Son front était humide de sueur.

— Je désirais bavarder avec toi. Que cela ne t'empêche pas de t'habiller, de vaquer à tes occupations.

Elle eut un petit rire ravi.

— J'ai jeté un coup d'œil sur la table de la salle à manger. Ces fleurs, cette argenterie, cette nappe... des merveilles !

Son regard, tandis qu'elle parlait, ne quittait pas le visage soucieux de Flower.

— J'espère que tu as invité Somerset de Lippendale ? Je l'ai rencontré chez lady Maxwell. Il m'a posé beaucoup de questions. Non pas par simple curiosité, mais parce que tu lui plais.

Flower haussa les épaules.

— Si lui m'a remarquée, moi je serais incapable de te dire s'il est brun ou blond, gras ou maigre.

— Il est riche, ma bichette. Très riche. La couleur de ses cheveux et son poids importent peu.

Les yeux de Flower se firent étroits.

— Pourquoi me racontes-tu tout cela ?

Gwendoline battit des paupières. Elle avait l'air soudain d'une gamine prise en faute.

— Figure-toi que...

Debout près du fauteuil dans lequel s'était installée sa mère, Flower la contemplait sans la moindre indulgence.

— Eh bien, achève ta phrase ! Je parie que tu lui as demandé de venir ici, ce soir ?

— J'ai eu tort ? Et tu es fâchée contre moi ? Très fâchée ?

Les narines de la femme s'enflèrent. Elle tapa du pied, rageusement.

— Quand perdras-tu l'habitude de t'immiscer dans

ma vie privée ? Tu décides, tu complotes, sans me consulter ! N'ai-je pas le droit de choisir ?...

— Tu choisis si mal !

Se penchant vers elle, haineuse tout à coup, Flower s'exclama :

— A qui penses-tu, en ce moment ?

— Mais à personne. A personne en particulier. Tu peux me croire.

— Je ne te crois pas ! Tu pensais à Torking ! A lui encore et toujours. Il t'obsède.

— Non. Il me fait peur !

— Et les autres ? Tous les autres, dont tu prétendais ignorer l'existence ? Car tu t'es évertuée à jouer à la mère qui ne se doute de rien, qui ne soupçonne rien. Alors que tu savais tout et que tu fermais les yeux !

— Flower ! Je te défends !

Gwendoline s'était dressée.

— Tu n'as rien à me défendre et pas de conseils à me prodiguer. Je suis libre d'agir et d'aimer à ma guise !

— Tu l'aimes donc ?

— Je ne te répondrai pas.

Elle n'eut pas le temps de reculer. Gwendoline l'avait saisie dans ses bras et la serrait contre elle à l'étouffer.

— Ma petite fille, ma petite fille, je te supplie de renoncer à cet homme. Tu cours des dangers graves. Il ne peut rien t'apporter... en dehors des pires désillusions, des plus cruelles souffrances !

Flower se dégagea et la repoussa brutalement.

— Cette scène est grotesque. Elle est inutile également. Torking est sur le point de quitter Londres. Il part pour la Jamaïque. Les plantations de cannes à sucre que Michaël de Landbridge possédait à Tahima, il les a léguées à sa fille. Lady Manse n'a pas osé, ou n'a pas voulu réclamer qu'il lui fasse don de ces terres, situées à l'autre bout du monde.

— Il quitte Londres ?

— Oui ! Tes craintes sont-elles apaisées, enfin ?

Gwendoline Hoggins ignora cette question. D'une voix anxieuse, elle interrogea :

— Il voyagera... seul?

— Il ne s'est pas confié à moi.

— Tu mens!

Debout face à face, elles s'affrontaient comme deux ennemies.

— Non, je ne mens pas! J'ai l'intention de m'éloigner de Londres, moi aussi. La comtesse de Murzie m'a invitée à venir passer quelques jours dans son château, aux environs de Tedding. Et j'ai accepté.

Gwendoline la regarda avec attention, comme pour lire en elle. Puis elle murmura, d'une voix qui tâtonnait misérablement.

— J'espère, de toute mon âme, j'espère que tu me dis la vérité. Si tu t'attaches aux pas de cet homme, il te faudra oublier que le bonheur existe.

— Le bonheur ? Sais-tu ce que c'est, le bonheur ? Tu ne l'as jamais connu.

— C'est au tien que je songe, Flower. Et je tremble.

Elles se retournèrent, d'un même élan vif. La porte s'était ouverte. Souriante, humble, Tina la fille noire se tenait sur le seuil.

— J'ai frappé, mais la maîtresse ne m'a pas entendue.

Ses yeux, immenses et caressants, allaient de Flower à Gwendoline Hoggins. Depuis combien de temps rôdait-elle dans le couloir ?

CHAPITRE XIX

Sans nouvelles de Guy depuis plusieurs jours, Jonathan de Fair avait décidé de se rendre au « Cambridge ». Il était persuadé que la Maulière était en train de vivre un drame. Et que ce drame, il s'acharnait à le tenir secret. Mais pour Jonathan de Fair, il n'existait plus de secret. Guy s'était trahi, en rachetant le domaine de Lamphire que Torking avait perdu au jet. La femme dans l'ombre, la femme qui accaparait les pensées du Français s'appelait Priscilla !

En faisant cette découverte, Fair sentit la colère le gagner. La colère et l'inquiétude également. Il vouait à Guy une amitié sincère et, à aucun prix, il n'aurait voulu le voir malheureux. Or, tout ce qui touchait à Torking ne pouvait symboliser que le malheur.

Ignorant que Priscilla et Guy se connaissaient depuis de longues années, il imaginait à tort que leur idylle était récente. Et cette idylle, il la condamnait d'emblée. La rumeur publique lui avait appris que lady Manse se nommait maintenant marquise de Landbridge. Des gens bien renseignés s'étaient chargés de lui révéler que Priscilla avait été dépossédée de la presque totalité d'une fortune qui devait être sienne, légalement. Et ceci au profit de cette lady Manse dont le premier mari était lui aussi un homme riche et âgé.

Jonathan de Fair, qui ne jugeait jamais ses semblables, éprouva tout de même une certaine stupeur en constatant que lady Manse avait épousé par deux fois des êtres maladifs et voués à disparaître très vite. Etait-ce dans ses habitudes de se pencher sur le sort de tous ceux qui réclamaient de la sollicitude et des soins vigilants ? Dans ce cas, pourquoi ne se dévouait-elle pas à la cause des classes pauvres ? Pourquoi réservait-elle ses bontés à ceux qui vivaient dans le luxe ? Un étrange, un déconcertant apostolat ! Elle consacrait son temps à un lord, à un marquis, alors que dans les quartiers populeux de Londres, il y avait d'innombrables miséreux qui n'espéraient plus ni secours, ni tendresse !

Fair, qui était un simple, ne comprenait pas. Et quand il se trouvait confronté avec un mystère de ce genre, il prenait peur. Et la peur chez lui se manifestait pas des colères terribles.

S'il l'avait osé, il se serait rendu chez cette lady Manse, afin de l'interroger, de l'insulter au besoin. Car il ne réussissait pas à découvrir pourquoi elle avait trahi Priscilla, dont elle se prétendait l'amie. Et à l'idée que Guy de la Maulière était mêlé à une histoire aussi trouble, il serrait ses poings de colosse.

Il méprisait Torking. Et il le redoutait. Il avait souvent rencontré sur sa route de ces aventuriers trop séduisants. Il s'était écarté d'eux. Ils lui inspiraient un dégoût insurmontable. Un dégoût que tant de femmes, hélas, ne partageaient pas. Elle se laissaient prendre au charme dangereux de ces pirates. Elles étaient subjuguées par leur beauté insolente, par leurs airs de dandys blasés. Et Priscilla de Landbridge, si intelligente, si fine, avait oublié tout orgueil pour devenir l'esclave d'un Torking !

Quel rôle Guy de la Maulière espérait-il tenir dans une comédie où il n'y avait pas de place pour un « comparse au grand cœur » ? Or, il était ce comparse. Et, tant que durerait le règne de Anthony, il lui faudrait se résigner à n'être qu'un figurant.

— Je ne veux pas qu'il souffre !

Ce fut en prononçant cette phrase d'une voix rageuse, que Jonathan de Fair poussa la porte du « Cambridge ». Presque aussitôt, il se mit à la recherche de Guy.

— Enfin, vous voilà ! Y a-t-il un endroit dans cet hôtel, où l'on puisse bavarder tranquillement ? J'ai à vous parler, Maulière. C'est urgent.

Après une imperceptible hésitation, Guy le conduisit vers un petit salon du rez-de-chaussée, presque toujours désert.

— De quoi s'agit-il ?

Guy avait avancé un fauteuil vers Jonathan.

— Il s'agit de Lamphire.

La Maulière tressaillit.

— Ne vous ai-je pas fait parvenir la somme représentant...

— Cet argent vous sera retourné, Guy ! Dès demain. Je vous l'aurais fait parvenir plus tôt, mais j'ai dû m'absenter de Londres.

— Mon cher, je me vois dans l'obligation de refuser. Dette de jeu, dette d'honneur.

La tabatière, que Fair avait sortie de sa poche, échappa de ses doigts et s'ouvrit toute grande, avant d'atteindre le parquet. Le tabac s'éparpilla sur le sol.

— L'honneur ? Vous parlez d'honneur, lorsqu'il est question d'un individu malhonnête et taré comme ce Torking ? S'il le pouvait, il jouerait son âme !

— Peu importe tout cela, Jonathan. Afin que vous obteniez satisfaction et pour éviter un scandale, je...

— Pourquoi n'avez-vous pas voulu d'un scandale ?

C'était le moment ou jamais de mettre fin aux agissements de cet escroc !

Guy était livide.

— Je vous en prie ! Vous dérogez à vos habitudes. En général, vous gardez pour vous vos opinions.

— Possible. Mais cette fois-ci j'éclate, je condamne, je dis ce que je pense. Et je pense...

— Vous ne pouvez rien penser, Fair. Vous ne savez rien !

Ils s'étaient levés, presque en même temps. Guy était aussi grand que l'autre. Mais à cause de ses épaules immenses, de son torse puissant, Fair semblait le dominer de sa taille de géant.

— Je vous ai demandé un jour s'il y avait une femme dans votre vie. Et votre réponse a été : non ! Pourquoi m'avoir menti ?

Il crut que Guy allait l'empoigner par les épaules, qu'une querelle éclaterait entre eux. Et il ne souhaitait ni haine, ni querelle. Il ne pensait qu'à l'affection qu'il éprouvait pour le Français.

— Je vous ai menti, parce que vous n'aviez pas à m'interroger.

— Ainsi donc, il y a une femme. Et cette femme est celle de Torking !

Il se baissa, ramassa sa tabatière, écartant machinalement du pied les brindilles de tabac éparses sur le parquet. Quand il se redressa, ses joues étaient pourpres.

— Guy, mon cher ami...

Sa voix faiblit :

— Vous n'êtes pas de force à combattre un Torking. Vous ne réussirez ni à déjouer ses ruses, ni ses plans diaboliques. Depuis des années, il triche, il prend ce qui ne lui appartient pas, il abandonne ce qu'il a saccagé. A côté de lui, vous êtes un novice, un gamin. Il vous écrasera impitoyablement.

Il attendit, avant d'ajouter :

— Et ce n'est pas Priscilla qui se portera à votre secours. Elle est en train de se perdre, elle aussi !

— Elle se ressaisira, elle comprendra, elle verra clair, un jour.

— Quand, Guy ? Quand ? Et quel miracle espérez-vous ?

— Je lui parlerai ! Il faut que je la voie, que je lui explique les dangers qui la menacent... plus que jamais !

Fair le regarda, longuement, en silence. Puis, il murmura :

— Trop tard, Guy! Trop tard ! Elle ne se trouve plus en Angleterre!

Incapable d'émettre un son, Guy le contemplait d'un air angoissé.

— Je vous ai dit que je m'étais absenté de Londres, la semaine dernière. Je suis allé à Lamphire, afin de jeter un coup d'œil sur ce domaine, ce fameux domaine que Torking avait perdu au jeu.

Il détourna la tête.

— J'ignore pourquoi l'envie m'a pris de visiter le parc, de pénétrer dans cette maison. Quand je me suis nommé, la gardienne n'a fait aucune difficulté pour me laisser entrer. N'étais-je pas le « nouveau propriétaire » ?

Il tenait sa tabatière entre ses mains jointes.

— Une lumière brûlait dans l'une des pièces du premier étage. J'ai pensé que ce devait être là, la chambre de Priscilla de Torking. La gardienne, à laquelle je posai la question parut surprise. La duchesse de Torking, sans nouvelles de son mari et inquiète affreusement, avait décidé de partir !

— Partir ?

— Oui, Guy. Pour la Jamaïque.

Soudain, il fit face à la Maulière.

— Allez-vous enfin renoncer à vos espoirs, à attendre cette femme qui ne vous appartiendra jamais ?

D'une voix stridente, il enchaîna :

— Car même si elle revient, si elle se réfugie dans vos bras, il y aura toujours l'autre entre vous. Cet autre, qui est le plus fort !

— Elle est partie...

— Oui, Guy. Sans un mot d'adieu. Comme pour une fuite. Comme une voleuse.

— De grâce, Fair, ne dites plus rien.

A pas lents, il traversa la pièce.

— Je vais quitter l'Angleterre, moi aussi. J'avais renoncé aux projets qui me tenaient à cœur à cause d'elle, pour elle. A cause d'elle, j'avais oublié que mon pays...

— Vous ne pouvez rien entreprendre en ce moment. Ce serait un suicide !

Il s'approcha de Guy.

— Napoléon prépare un débarquement. Le monde entier est en état d'alerte. Des navires de guerre sont massés le long de nos côtes. L'Angleterre compte se défendre contre l'envahisseur.

Scandant chaque syllabe, il dit :

— Je vous répète : tenter quelque chose en ce momoment, ce serait... risquer la mort !

Il posa sa main sur l'épaule de Guy.

— Je vous plains de tout mon cœur. Et je ne puis rien pour vous. Rien !

D'une démarche vaincue, il sortit du salon.

CHAPITRE XX

Debout sur le pont du bateau qui l'emmenait vers Tahima, Priscilla contemplait la mer aux vagues tumultueuses. Le long manteau qu'elle portait, orné d'une courte pèlerine, la protégeait du vent qui hurlait à ses oreilles. Malgré elle, elle songeait aux salles désertes d'un château en ruines où les cris du vent, accouru de la montagne celui-là, se muaient parfois en une plainte.

Lamphire... Ses vallées, son bourg niché dans une sorte d'excavation immense creusée par la nature. Ses collines crayeuses, ses forêts où bondissaient des écureuils et ces senteurs qui montaient des sous-bois à l'orée du printemps. Tout cela, elle l'avait abandonné pour aller rejoindre un homme qui lui avait dit, à l'instant des adieux :

— Je t'écrirai, mon ange. Aussitôt que je serai là-bas. Aussitôt que j'aurai organisé ma vie. Et tu viendras, sans perdre de temps.

Cette scène s'était déroulée devant la grille du parc. Les valises, la sacoche de Anthony se trouvaient déjà dans la voiture qui l'attendait. Priscilla devinait que cette scène, il souhaitait l'abréger. Alors qu'elle, elle ne demandait qu'à la prolonger, jusqu'au soir, jusqu'à l'aube suivante s'il le fallait. A cet homme qui la quittait, après lui avoir fait de belles promesses, elle désirait poser d'innombrables questions. Une surtout : « Pourquoi ne m'emmènes-tu pas avec toi ? » A cette question, comme s'il se doutait qu'elle obsédait Priscilla, il répondit sans qu'elle la lui pose.

— Je suis malheureux. Cette séparation est une véritable torture ! Mais elle est indispensable. Ta présence gênerait mes mouvements. En te sachant livrée à toi-même, dans une maison inconnue, je ne pourrai pas me pencher sur les problèmes qui exigent mon attention. Toute mon attention.

Elle regardait le cocher qui était descendu de la voiture et brossait la crinière de l'un des chevaux.

— Je veux que tout soit prêt pour ton arrivée. Je veux que des domestiques, dressés à obéir, guettent avec impatience ton apparition. Je tiens à m'assurer que les chaleurs infernales, auxquelles sont habitués les noirs qui peuplent Tahima, tu seras capable de les supporter, toi aussi.

Ses doigts, en un geste de possession, emprisonnèrent la nuque de Priscilla.

— Défais ton chignon, ma mie. Je t'aime, avec tes cheveux épars sur tes épaules.

Et, comme elle ne bougeait pas, il enleva lui-même peignes et épingles et enfouit son visage dans cette masse chatoyante et parfumée.

— Tes cheveux... quelle douceur.

Ses lèvres effleurèrent le menton de la femme immobile.

— La nuit, le jour, je penserai à toi. Il me semblera que j'entends ton rire, tes soupirs de bonheur, tes appels quand tu as envie de m'avoir près de toi.

De temps en temps, tout en parlant, il jetait un coup d'œil vers la voiture.

— Et toi, ma colombe ? Toi ?

— Moi... j'attendrai.

Il s'écarta d'elle.

— Je t'aime, ma petite fée. Et bientôt, tu seras dans mes bras.

Des semaines passèrent, après cette scène dans le parc. Aucun message ne parvint à Priscilla. Elle vécut des moments atroces. De toutes ses forces, elle se refusa à croire à une nouvelle trahison. Parce qu'elle avait décidé de rompre avec Torking, définitivement, s'il la trompait une fois encore. Et c'était pour cela qu'elle souffrait ainsi !

Elle ne savait plus si elle l'aimait toujours. Tant étaient grands le mépris et la haine qu'elle éprouvait pour lui à certaines minutes. Il l'avait « avilie », ridiculisée, humiliée. Et au lieu de lui rendre coup pour coup, elle s'était conduite comme une chienne, qui lèche la main du matîre qui l'a frappée.

Une chienne. Une bête. Des années d'une immobilité cruelle, dans un fauteuil d'infirme, justifiaient-elles la veulerie, l'aveuglement, la dégradation'? Car soudain, avec une acuité hallucinante, Priscilla prenait conscience de tout ce qu'elle avait admis et enduré ! Elle se demandant comment elle avait pu, sans rougir de honte, regarder en face un homme comme Guy de la Maulière. Et comment un tel homme avait pu continuer à la respecter !

Debout sur le pont du bateau, Priscilla de Torking dressait le bilan de ses erreurs, de ses impardonnables faiblesses. Pourquoi allait-elle là-bas ? A la recherche de quel espoir ? Que pouvait-elle attendre d'un Torking ? Un nomade !

Elle ne comprenait pas que son mariage avec Anthony, ses déceptions et ses tourments avaient été pour elle comme un apprentissage. Ils l'avaient mûrie et il lui fallait une telle expérience pour pouvoir accueillir et apprécier la dévotion d'un Guy de la Maulière !

Si elle était devenue l'épouse de Guy avant sa rencontre avec Torking, elle n'aurait pas su « savourer » son bonheur. Il lui aurait paru fade. Un « bonheur au rabais ». Tandis que maintenant, après cet ouragan qui l'avait meurtrie toute, elle était capable de comparer et de choisir librement !

— Nous approchons de l'île, my lady.

Priscilla se retourna et regarda la femme qui s'était avancée vers elle d'une démarche silencieuse. Cette femme était une noire, d'une vingtaine d'années. La semaine dernière encore, Priscilla ignorait l'existence de cette fille. Et, sans la brusque maladie de la domestique qui devait faire ce voyage avec elle, jamais elle ne se serait décidée à prendre à son service une créature dont elle ne savait rien.

Elle se présenta un matin. Au valet qui la reçut, elle expliqua qu'elle avait appris le départ pour la Jamaïque de la duchesse de Torking et aussi que la duchesse était très soucieuse parce que sa femme de chambre avait dû s'aliter subitement. D'une voix très douce, elle ajouta :

— J'ai une lettre de recommandation pour la duchesse. Pouvez-vous me conduire vers elle ?

Priscilla, que le valet s'empressa d'avertir, eut un bref entretien avec la visiteuse, qui déclara se nommer Hannah Ryan.

— My lady peut me faire confiance. Je lui obéirai en tout. Et j'essaierai de ne jamais la décevoir.

— Qui vous a envoyée ? Et cette lettre de recommandation...

— Emmenez-moi avec vous, my lady. Vous ne le regretterez pas !

Subjuguée par le ton suppliant et en même temps impératif de cette étrangère, Priscilla murmura :

— Pourquoi désirez-vous aller là-bas ? Y avez-vous laissé des parents, des amis?

— Mon frère habite Kingston. Et je ne voudrais pas mourir, avant de l'avoir revu.

— Mourir ? Vous n'êtes encore qu'une adolescente !

Hannah ne dit rien. Ses paupières étaient baissées. L'espace d'une seconde, Priscilla lutta contre la tentation de chasser cette passante, dont la voix, le regard, la déroutaient. Mais elle ne la chassa pas. Elle ne demanda pas à lire une lettre que l'on ne semblait pas vouloir lui montrer.

— J'accepte de t'emmener avec moi. Et pourtant, j'ignore qui tu es et qui t'a conseillé de venir chez moi.

— Je remercie my lady. Un jour peut-être, my lady sera-t-elle heureuse de me savoir à ses côtés.

Le soir même, elle s'installait dans la maison de Priscilla. Et aujourd'hui, sur le pont de ce bateau, postée non loin de sa bienfaitrice, elle contemplait elle aussi la mer.

— Bientôt my lady retrouvera son mari. Qui l'attend avec impatience. Qui compte les heures...

Ayant prononcé cette phrase, tout bas, comme pour elle-même, elle s'éclipsa sans bruit.

Anthony de Torking n'attendait pas Priscilla. Il n'y avait personne pour l'accueillir, à sa descente du bateau. Surprise, inquiète, elle guetta en vain l'apparition de Torking.

— My lady a tort de s'affoler. Pendant la traversée, je me suis liée avec le maître-coq. Il se chargera sûrement de nous procurer une voiture.

Très pâle, redoutant un drame, Priscilla continuait à chercher, dans la foule qui se pressait sur le quai, la haute silhouette de Anthony. Hannah s'était éloignée. Son absence ne dura pas longtemps.

— Voici Jack Adams, my lady.

L'homme était grand et maigre. Ses épaules avaient tendance à se voûter. Ses cheveux, ses favoris, sa barbe taillée en pointe, d'un noir de corbeau, le faisaient ressembler à un gitan. Il s'inclina devant Priscilla.

— Jack Adams, pour vous servir.

Elle lui accorda un sourire machinal. Elle était sans forces. Et elle avait peur. Peur des dangers qui la guettaient.

— La voiture est là, my lady.

Elle monta dans le tilbury. Machinalement toujours, elle constata que le cocher était un noir. Comme en un rêve, elle entendit ces mots de Hannah :

— Il n'y a que deux places, my lady. Que my lady se mette en route. Je ne tarderai pas à la rejoindre.

Le cabriolet s'ébranla presque aussitôt. Une chaleur tyrannique pesait depuis plusieurs jours sur l'île. Priscilla enleva son écharpe, ses gants. Sa tête tournait. Elle ne savait plus où elle se trouvait. Elle ne savait plus où elle allait et pourquoi elle était venue dans ce pays. A côté d'elle, muet, hiératique, le cocher ne semblait pas s'apercevoir de sa détresse.

Quand des chants résonnèrent soudain, elle eut un sursaut et se redressa. Ces voix qu'elle entendait étaient celles des noirs qui peinaient sous le soleil dans une quelconque plantation de canne à sucre. Elle imagina leurs corps à demi nus et couverts de sueur, courbés vers des tiges géantes qu'ils coupaient à ras du sol. Les femmes, car il y avait des femmes, parmi ces esclaves, participaient au travail. Ces tiges géantes, il fallait les débarrasser de leurs feuilles, de leurs extrémités supérieures avant de les envoyer à la sucrerie. Les feuilles les plus tendres, soigneusement triées, étaient destinées au bétail.

Ces hommes, ces femmes qui ne possédaient rien et qui auraient pu pleurer sur leur sort... préféraient chanter.

A la dérobée, Priscilla jeta un coup d'œil vers le noir assis près d'elle et qui, buste raidi, impassible, poursuivait un rêve qui n'appartenait qu'à lui. Une statue taillée dans du marbre sombre. A la vue de ce visage qui n'exprimait aucune sollicitude, aucune pitié, Priscilla se sentit plus seule encore, plus abandonnée.

Indifférente elle aussi, la route, la route poussiéreuse se déroulait sans cesse comme un ruban de couleur ocre. On n'en voyait pas la fin. Sinueuse, sournoise, elle paraissait se dérober sous les sabots du cheval. A droite, à gauche, se dresasient des huttes et des cabanes que séparaient des lambeaux d'une terre brunâtre. Et la chaleur, tenace, s'attachait aux pas du cheval, freinant son élan, créant autour de lui comme une vapeur d'eau brûlante.

— Mon Dieu...

Priscilla cacha sa figure dans ses mains. Et répéta :

— Mon Dieu...

Brusquement, la voiture stoppa. Priscilla écarta les doigts qui dissimulaien tson visage. Son regard se posa sur une maison toute blanche, d'un étage, au toit en forme de triangle. Les stores ornant les fenêtres étaient baissés, tous. Il y avait un banc sans dossier, non loin du perron. Sur ce banc, Priscilla aperçut un châle.

— Tahima...

Le cocher pointa son index vers les habitations, une dizaine peut-être, groupées autour de la maison toute blanche.

— Tahima...

Il n'aida pas Priscilla à descendre de la voiture. Sa main, tendue vers elle, guettait l'argent qu'elle lui devait pour cette course. Il compta les pièces. La femme blanche était généreuse ! Il se dirigea vers le tilbury. Son fouet claqua. Là-bas, dans la plantation, les esclaves continuaient à chanter.

Ayant gravi les trois marches du perron, Priscilla se saisit du heurtoir fixé contre la porte et l'actionna nerveusement. Rien ne bougea nulle part. Elle frappa, une fois encore. Elle ne songeait pas à s'étonner que Hannah ne l'ait pas rejointe encore. Elle ne savait pas qu'une mèche de ses cheveux, humide de sueur, était plaquée contre sa joue. Que le col de son corsage était froissé et que la poussière de la route avait teinté de jaune le bleu de sa robe.

— Qui est là ?

La gorge de Priscilla était sèche. Pour un verre d'eau, elle aurait sacrifié des années de sa vie.

— Je voudrais parler à M. Torking. M. Anthony Torking.

La porte s'écarta lentement. Un homme âgé se tenait sur le seuil. A cause de la chaleur, il n'avait pas mis de veste. Le col de sa chemise était déboutonné. Ses manches, retroussées jusqu'aux coudes, découvraient ses bras osseux. Avec ses paupières fripées, son nez busqué, son visage à l'expression somnolente, il ressemblait à un rapace à demi assoupi.

— Le duc de Torking n'habite plus ici, madame. Il n'a fait qu'un bref séjour, dans cette maison.

— Me permettez-vous d'entrer, de m'asseoir un instant ? Je suis très lasse.

Il s'écarta du seuil. Malgré les stores baissés, aucune fraîcheur ne régnait dans la pièce où pénétra Priscilla. Une sorte de bureau, à la table encombrée de paperasses et de dossiers volumineux. En guise de meubles, trois chaises et une seconde table sur laquelle étaient posés un verre et une bouteille contenant du rhum.

— Je suis en « camp volant ». Mon mobilier est resté à Kingston. On devait me le livrer hier. Et j'attends. J'attends toujours. Je couche sur un lit de fer. Et j'aime le confort. Tout cela est fort désagréable.

D'une voix à peine distincte, Priscilla interrogea :

— Qui êtes-vous, monsieur ?

— L'actuèl propriétaire de Tahima.

Elle secoua la tête.

— Je ne comprends pas... Je ne comprends pas. Mais où donc est le duc de Torking ?

— Il est parti, madame, après avoir signé l'acte de vente... Non, je me trompe. Ce n'est pas lui qui a signé. mais sa femme. Elle seule étant habilitée pour le faire.

— Sa femme ? Comment était cette femme ?

Il eut un geste vague de la main.

— A mon âge, vous savez, on ne prête guère attention...

— Comment était-elle ? Comment ?

Priscilla s'était levée. Sa voix aux notes stridentes avait résonné brutalement.

— Blonde, je crois. Oui, blonde. J'hésite un peu parce que, malgré la chaleur torride dehors, elle portait un chapeau orné d'une voilette.

— Blonde...

Priscilla s'était adossée contre le mur. Flower Norstone... Flower Norstone avait suivi Torking ! Elle avait contrefait à la perfection la signature de la véritable duchesse de Torking ! Comédienne de talent, elle s'était astreinte à jouer sans une défaillance, ce rôle difficile et nouveau pour elle. La duchesse de Torking... cette créature qui avait préféré l'aventure avec Anthony à l'existence qu'elle menait à Londres !

— Blonde...

Comme en un rêve, Priscilla répétait ce mot. Surpris, les yeux fixés sur cette voyageuse aux traits tirés, aux yeux brillants de fièvre, l'homme se demandait qui eil eétait. Devinait-il l'ampleur du drame qu'elle vivait ?

— En quoi puis-je vous être utile, madame ? Si vous venez pour la première fois dans ce pays...

— Je viens pour la première fois. J'aimerais que

vous m'indiquiez l'adresse d'un hôtel. Il faut que je trouve à me loger quelque part.

Elle parlait d'une voix monocorde.

— J'ignore dans combien de temps il me sera possible de retourner en Angleterre.

Elle regarda autour d'elle. Machinalement, du revers de la main, elle écarta la mèche de cheveux qui dissimulait sa tempe, sa joue.

— Je ne voudrais pas m'attarder ici...

— Un bateau quitte Alfero après demain.

— Après-demain. Deux jours, deux jours d'attente.

D'un ton gêné, désirant abréger cet entretien qui provoquait en lui comme un malaise, l'homme murmura :

— L'hôtel Plata, à Alfero, est un établissement assez convenable. Vous voyagez seule ?

Elle eut un sourire fugitif, mais ne répondit pas à cette question. Sur les marches du perron, il dit tout à coup :

— Qui êtes-vous, madame ? Comment vous appelez-vous ?

— Peu importe.

Tout bas, elle ajouta :

— Puisque même mon nom... on me l'a pris !

— Madame, vous me paraissez souffrante. Je ne voudrais pas...

— Adieu, monsieur.

Il ne l'escorta pas juqu'à la grille. Et, d'une démarche hésitante, elle s'engagea sur la route.

— My lady !

Hannah Ryan la guettait près d'une voiture.

— Nous partons pour Alfero, Hannah.

La noire ne broncha pas.

— Le maître se trouve là-bas ?

— Non.

— Pourquoi Alfero, my lady ? Puisque ici, à Tahima, my lady possède une belle maison ?

— Cette maison ne m'appartient plus.

Les lèvres épaisses de Hannah se crispèrent.

— Le maître l'a vendue ?

— Oui.

— Sans avertir my lady ?

— Assez, Hannah ! Qu'as-tu à m'accabler de questions ! Tout ceci ne te regarde pas.

— Que my lady me pardonne. Tout ce qui touche à my lady me touche également, et je voulais savoir.

— A présent, tu sais ! Et ce n'est pas par affection pour moi que tu m'interroges. Mais par curiosité ! Comment peux-tu me plaindre, ou m'aimer ? Tu ne me connais que depuis trois semaines ! Tu as peur de perdre ta place et tu me joues une comédie inutile. Or, je suis lasse des comédies, lasse des mensonges, lasse de tout ! Tu entends ?

A quelques pas de là, le cocher écoutait. Ses yeux étaient fixés sur Priscilla de Torking. Des yeux mar rons, criblés de minuscules points d'or.

— Demande à cet homme s'il accepte de nous conduire à Alfero.

— Il acceptera, my lady. Je l'ai prévenu que nous ne resterions pas ici.

Priscilla eut un haut-le-corps.

— Tu l'as prévenu ? Comment pouvais-tu te douter qu'il n'y aurait personne pour m'accueillir et qu'un étranger occuperait ma demeure ?

— Il m'arrive de deviner, my lady.

Elle regarda Priscilla.

— Et je devine que my lady ne regrettera jamais de m'avoir emmenée avec elle... et qu'elle remerciera le ciel un jour.

Dans la voiture, une sorte de mail-coach sur le toit

duquel le cocher avait placé leurs bagages, elles ne parlèrent pas. Pelotonnée dans un coin, Hannah semblait dormir.

L'hôtel Plata était une bâtisse laide et assymétrique, posée drôlement sur le flanc d'une colline. Le propriétaire était un sang-mêlé. Après des protestations, des petits cris d'oiseau effarouché, car son hôtel était comble à cause de la foire annuelle qui se tenait à Del Mayor, il consentit à louer deux chambres, situées chacune aux deux extrémités d'un couloir étroit et mal éclairé.

Priscilla ne toucha pas au repas froid qui lui fut servi. Le voyage avait été harassant, interminable. Et dehors, c'était déjà la pénombre.

— My lady va se mettre au lit. Il le faut. My lady est si fatiguée ! Elle est toute pâle.

Priscilla n'eut pas le courage de protester. Et Hannah l'aida à se déshabiller.

— My lady devrait boire une tisane bien chaude. Son sang circulerait mieux et ses joues retrouveraient leurs couleurs.

— Non, je ne veux rien. Laisse-moi.

Soudain, s'étant penchée vers Priscilla, Hannah s'empara de sa main et l'appuya contre ses lèvres. Puis, elle dit :

— Les méchants sont toujours punis, toujours. Souvent, ils paient de leur vie.

Priscilla entendit-elle ces phrases ? Ses paupières étaient baissées. Après le départ de Hannah, le sommeil s'abattit sur elle, pesamment. Et son corps, son cerveau se muèrent en deux choses inertes. Elle ne fit aucun rêve. On aurait juré qu'elle était condamnée à dormir ainsi, des mois, des années durant. D'un sommeil qui apportait cette sérénité qui ne vient qu'avec la mort.

Quand elle se réveilla enfin, le soleil s'insinuait dans

la pièce par l'écartement des rideaux. Priscilla se mit debout. Ses yeux, avec lenteur, détaillèrent le décor sordide dont elle occupait le centre. Elle eut une moue de dégoût. Rapide, elle se saisit de son peignoir et gagna le corridor. Nerveusement, elle tambourina contre la porte de la chambre de Hannah. N'obtenant pas de réponse, elle frappa de nouveau, avec son poing cette fois-ci.

— Hannah ! Ouvre !

Elle frappa encore et encore. Rien, toujours rien ! Oubliant qu'elle était vêtue d'un peignoir, elle s'engagea dans l'escalier.

— Que se passe-t-il, madame ?

Le propriétaire de l'hôtel la contemplait d'un air étonné.

— Ma domestique ! Où est ma domestique ? J'ai beau frapper contre sa porte, elle ne me répond pas !

— Cette personne est partie, madame. Elle est partie ce matin, à l'aube.

Priscilla respirait doucement.

— Elle m'a déclaré qu'elle vous avait avertie, madame.

Priscilla garda le silence. Pourquoi Hannah s'était-elle enfuie ? Pourquoi avait-elle voulu monter à tout prix dans le bateau qui se dirigeait vers la Jamaïque ? Qui était Hannah Ryan ? Qui était-elle vraiment ?

Chose étrange, mais Priscilla de Torking avait la certitude absolue que, plus jamais, elle ne reverrait cette femme.

Silhouette mystérieuse et fugace, elle était apparue soudain pour disparaître presque aussitôt. Avait-elle un rôle à jouer ? Etait-elle une alliée, ou bien une ennemie ?

« My lady ne regrettera pas de m'avoir emmenée avec elle... et elle remerciera le ciel, un jour. »

Seule dans cette chambre d'hôtel, Priscilla se souvenait... Et cette phrase de Hannah Ryan résonnait à ses oreilles.

« Elle remerciera le ciel un jour... »

Lorsqu'un volet mal fermé claqua quelque part, Priscilla de Torking eut un sursaut. On aurait dit un coup de feu... tiré à bout portant !

CHAPITRE XXI

Pour cette visite qu'elle avait décidé de faire, Lottie Mac Dawn s'habilla de sombre. Pas de fanfreluches, pas de colifichets, pas de bijoux de pacotille. Elle essaya plusieurs chapeaux, avant d'opter pour un bonnichon noué sous le menton et formant un « plissé » sur la nuque. Elle n'osa pas prendre son ombrelle ornée de pompons. Elle s'abstint de farder ses paupières et ses joues. Ayant mis ses gants, elle se regarda dans une glace. Elle fut satisfaite, pleinement. Ainsi vêtue, avec ses souliers à talons sages, elle avait vraiment l'air d'une dame de la bonne société, un peu prude et très pieuse. Personne, en la contemplant, n'aurait pu croire qu'elle était Lottie Mac Dawn, une belle de nuit.

Dans la rue, les hommes ne se retournèrent pas sur elle. Et elle ressentit comme un soulagement. Cela signifiait qu'elle avait réussi à tromper son monde, en surveillant sa démarche, en ne lorgnant pas les passants. Quand elle monta dans un fiacre, elle eut soin de ne pas montrer ses mollets. Elle ne plaisanta pas avec le cocher.

Le col trop fermé de sa robe la gênait. Elle aimait que son corps soit libre, ses bras nus, son décolleté profond.

Cette idée aussi qu'elle avait eue de s'affubler d'un corset. Alors que, à l'instar des Parisiennes, la plupart des femmes anglaises avaient renoncé avec joie à cet instrument de torture. En effet, guerres ou pas guerres, c'était de France que venait la mode. Et la révolution française s'était empressée de supprimer le corset, cet « insigne de coquetterie, de richesse, de faste insolent ».

Napoléon ne désapprouva pas cette décision populaire. Et l'impératrice, dont la taille était très courte et la gorge proéminente se garda de la critiquer.

Inquiète à l'idée que la marquise Flora de Landbridge jugerait avec sévérité ses formes trop épanouies, Lottie préféra suivre l'exemple d'une Gwendoline Hoggins et souffrir stoïquement pendant la durée de sa visite. De tout son cœur, elle espérait que Flora de Landbridge ne refuserait pas de lui accorder un entretien. Elle savait que le père de Priscilla avait épousé cette femme quelques semaines avant de mourir. Elle se souvenait de l'étonnement que provoqua cette union, inattendue, déconcertante. Une union qui assurait à lady Manse un avenir doré.

— Qui dois-je annoncer ?

Le domestique, qui lui avait ouvert la porte, s'était adressé à Lottie avec un évident respect. Cela commençait bien.

— Mon nom ne dirait rien à la marquise. Mais nous avons des amis communs.

Le valet s'éclipsa. Son absence ne se prolongea guère.

— On vous attend dans le petit salon.

Flora de Landbridge ne tendit pas la main à Lottie Mac Dawn. Après avoir détaillé sa toilette de « dame s'occupant de bonnes œuvres », elle déclara d'un ton assez sec.

— Depuis quelques jours, je souffre d'un léger

refroidissement. Je garde la chambre, sur les conseils de mon médecin. Et je vous accueille en peignoir. Veuillez m'excuser, je vous prie.

Elle tenait un mouchoir dans sa main aux doigts longs et frêles.

— Nous avons, paraît-il, des amis communs. Quels sont ces amis ? Et de quoi s'agit-il ?

Elle n'avait pas offert à Lottie de s'asseoir. Et la fille, sous ce regard qui la détaillait toute, sentait le découragement la gagner.

— Il s'agit du duc Anthony de Torking.

Flora jeta son mouchoir sur une table et s'approcha de Lottie.

— Pourquoi êtes-vous venue ? Si Torking est votre ami, il n'est pas le mien. Il me déplaît de parler de lui. Je préfère oublier qu'il existe. Et maintenant, veuillez me laisser, je vous prie.

Sa voix était glaciale.

— Mon domestique se chargera de vous reconduire.

— Non ! Pas encore !

Lottie lui avait barré la route.

— Accordez-moi cinq minutes. Cinq minutes seulement. Peut-être pourrez-vous apaiser mes inquiétudes et me fournir les renseignements que personne n'a réussi à me donner.

— Vous prétendez connaître le duc et c'est à moi que vous demandez d'apaiser vos inquiétudes ? Je pensais que ses maîtresses, toutes ses maîtresses étaient au courant de ses moindres gestes, de ses projets, de ses déplacements. Seriez-vous tombée en disgrâce, par hasard ? Et se cacherait-il afin de vous échapper ? Il est tellement fantasque !

Oubliant que, cet après-midi-là, elle avait décidé de « jouer à la dame », oubliant qu'il lui avait fallu des heures pour composer son personnage de provinciale vertueuse, Lottie retrouva tout à coup ses attitudes, ses accents de tous les jours.

— Je vous en supplie ! Pas de persiflage ! Je suis sans nouvelles de Anthony. N'admettant pas que je le critique, il avait cessé de me voir, il ne venait plus chez moi. Mais je le savais à Londres.

D'un mouvement nerveux, elle ôta ses gants.

— Or, il a déserté Londres. Sa femme, elle, est restée.

— Il avait promis de lui écrire. Il ne l'a pas fait. Après avoir attendu en vain, elle a pris la décision d'aller le rejoindre là-bas.

— Là-bas ?

— La Jamaïque.

Durant plusieurs secondes, les yeux fixés sur Flora, Lottie ne parla pas. Enfin, avec effort, elle prononça :

— Ils sont donc ensemble ? Elle est auprès de lui. Ils ne se sont pas séparés ?

Elle poussa un soupir de soulagement.

— Vous me semblez agréablement surprise. Je le suis également. N'est-il pas réconfortant de constater qu'il existe des « maîtresses au grand cœur », prêtes à prendre la défense de... de la femme légitime ? Vous êtes un cas, ma chère. Vous appartenez à une espèce assez rare.

Elle toisa Lottie.

— Malgré votre accoutrement, vous n'êtes ni la petite bourgeoise, ni la mondaine. Vous êtes une chatte de gouttière, Lottie Mac Dawn. Et quand vient la nuit, vous quittez les toits pour le... trottoir !

Lottie recula. Elle serra son sac contre sa poitrine.

— Vous désiriez des renseignements ? Les voici ! Torking a vendu la Tahima, une plantation de cannes à sucre. Ce n'est pas lui qui a signé l'acte de vente. Ce n'est pas Priscilla de Torking non plus. Elle se trouvait à Lamphire, où elle possède une propriété.

À pas rapides, elle s'avança vers Lottie.

— Une femme avait pris le bateau en même temps que Torking. Usurpant l'identité d'une autre, cette femme s'est fait passer pour Priscilla... dont elle a imité la signature !

— Ce n'est pas possible !

Il y avait comme des sanglots dans la voix de Lottie Mac Dawn.

— Tout est possible, avec un personnage comme le duc. Il est capable de tout... même d'un vol ! Car c'est un vol qu'ils ont commis, cette femme et lui !

— Mon Dieu, je l'avais prévenu pourtant, je l'avais supplié...

Flora l'interrompit :

— Il paiera, tôt ou tard. Mais ce n'est pas son sort qui me préoccupe. C'est celui de Priscilla. Or, on ignore où elle se trouve. Elle n'est pas revenue à Lamphire. Ses domestiques, à Londres, n'ont reçu aucun message d'elle. Si elle est seule, là-bas...

Elle n'acheva pas sa phrase. D'une voix angoissée, Lottie Mac Dawn interrogea :

— Cette femme, que Torking a emmenée avec lui...

— Je m'emploie à découvrir son nom.

— Et alors...

Au lieu de répondre, Flora de Landbridge se dirigea vers la porte.

— Je vous prie de me laisser, maintenant. J'ai besoin de repos.

Elle s'écarta de la porte lorsque Lottie Mac Dawn passa devant elle.

CHAPITRE XXII

Jonathan de Fair refusa le verre de brandy que Guy de la Maulière avait rempli à son intention. Ils venaient d'achever de dîner. Le repas eut lieu au « Cambridge », dans l'une des pièces du premier étage, à une heure où les salles de jeux étaient encore fermées. Guy, qui savait être un hôte parfait, se força à goûter aux plats préparés par son cuisinier. Jonathan, lui, qui appréciait la bonne chère et oubliait ses préoccupations en se mettant à table, mangea avec appétit. Mais tout de même, de temps en temps, son air subitement absorbé prouvait que son esprit n'était pas tranquille.

— J'ai vu South, hier. L'opinion, en France, est très divisée. Les ennemis de Napoléon passeront bientôt à l'attaque. On complote, on intrigue autour de lui. On prétend qu'il y a des espions parmi les familiers de l'impératrice. Quant à elle, elle tremble. Non pas à cause des dangers qui pourraient menacer son mari. Mais à cause de ceux qui menacent son foyer.

La Maulière avait allumé une cigarette. Cette nuit-là sa blessure, déjà ancienne pourtant, l'avait fait souffrir. Très souvent il éprouvait, à l'endroit du cœur, une douleur lancinante qui s'apaisait tantôt très vite, tantôt avec une lenteur qui l'affaiblissait cruellement. Il n'ignorait pas que ces symptômes étaient dus aux tourments qu'il endurait. Il ne restait rien, ni de ses projets de patriote, ni de ses rêves d'homme ! Tous ceux qui lui avaient promis leur aide s'étaient éclipsés les uns après les autres. Aucun d'eux ne voulait risquer la mort pour défendre un idéal... devenu indéfendable. Le monde entier avait les yeux fixés sur Napoléon. Le monde entier attendait. Ses adversaires guettaient avec impatience l'écroulement de l'édifice géant qu'il avait bâti en guerroyant sans cesse. Un édifice qui projetait de l'ombre sur l'univers.

Les Français, réfugiés à Londres, attendaient, eux aussi. La plupart d'entre eux avaient laissé des parents, des amis en France. Mais le mur titanesque construit par Napoléon les séparait de ces parents, de ces amis. Qui étaient-ils pour songer à renverser un pareil obstacle ? La peur, le découragement, l'espoir que les événements se précipiteraient d'eux-mêmes, freinaient leurs élans. Ceux qui s'étaient décidés à tenter l'aventure avaient payé de leurs vies... inutilement !

— Napoléon et son état-major n'ont pas renoncé à un débarquement. A Boulogne, c'est un branle-bas de combat.

Fair débitait tout cela d'une voix traînante.

— Personnellement, je ne crois pas à toutes ces histoires. L'Angleterre est imprenable ! Et Napoléon réfléchira, avant de sacrifier sa flotte.

Guy avait abandonné dans un cendrier sa cigarette éteinte.

— J'ai failli partir, Jonathan. Robert de Rivac et son frère avaient tout organisé. Un bateau devait nous conduire jusqu'à Broom. De là...

— Je vous interromps, mon cher. Pour vous dire que je bénis la mystérieuse disparition de Priscilla de Torking. Si elle n'avait pas disparu, vous seriez en train de voguer vers la mort !

Presque aussitôt, il regretta d'avoir prononcé ces mots. Guy s'était dressé brutalement. La bouteille de cognac, qu'il avait posée sur le bord de la table, bascula et alla s'écraser sur le sol, en un fracas de verre brisé.

— Etes-vous devenu fou, Jonathan ? Et avez-vous réfléchi, avant de parler ?

Serrant les poings, tremblant de colère, il fixait Fair dans les yeux.

— Vous bénissez l'absence d'une femme dont on est sans nouvelles depuis des semaines, dont on ne réussit pas à retrouver la trace ? Elle a quitté la Tahima pour se rendre à Alfero. Elle n'a passé qu'une nuit à l'hôtel Plata. Et depuis... depuis, rien ! Et vous osez...

— Je pensais à vous, Guy. A vous et à vos projets de dément ! Je me suis mal exprimé.

— Non, Jonathan. Votre discours était on ne peut plus clair. Vous saviez qu'inquiet, torturé par le silence inexplicable de Priscilla, j'hésiterai à m'éloigner de Londres. Vous n'avez songé qu'à ma sécurité, qu'aux risques que je courais en accompagnant Robert de Rivac et ses amis.

— Je ne tiens pas à vous perdre. Je me plais en votre société. Ceci dit, j'avoue que je me suis montré maladroit. Il est évident que, livrée à elle-même, sans un homme pour la protéger, dans un pays où elle ne connaît personne, Priscilla de Torking s'expose à des dangers de toutes sortes. Alors pourquoi, pourquoi reste-t-elle là-bas ? Espère-t-elle découvrir où se cache son mari ?

Guy détourna la tête. Il semblait las, affreusement. D'une voix vaincue, il murmura :

— Comment vous répondre ? Flora de Landbridge est venue me voir, dernièrement, pour m'apprendre que Torking avait vendu la plantation. Flora tenait le renseignement de son notaire. L'acte de vente porte la signature de Priscilla. C'est un faux ! La fille dont le duc s'est assuré la complicité risque la prison. Priscilla, Priscilla seule est en droit de l'attaquer devant les tribunaux. Or, nul ne sait où elle a cherché refuge.

Jonathan de Fair s'était levé. Et, mains derrière le dos, il arpentait la pièce. Soudain, il s'immobilisa :

— Je n'ai pas à vous donner de conseils. Mais si vous désirez résoudre cette énigme, il faut que vous partiez pour la Jamaïque !

— Je ne demande que cela ! Je ne demande qu'à faire ce voyage. Mais à quel titre ? Priscilla ne m'a pas écrit, elle n'a pas réclamé mon aide... et je ne possède pas son adresse !

Son regard, tout à coup, exprima l'épouvante. Et il ajouta :

— Elle est morte, peut-être. Morte... et nous sommes là, à bavarder, à supposer, à attendre. Attendre, quoi ?

— Son retour, Guy. Car elle réapparaîtra un jour. Elle se terre, en ce moment. Parce qu'elle traverse une crise affreuse. Elle se recueille, elle réfléchit. Elle veut être sûre de ses sentiments avant de prendre une décision irrévocable.. Elle n'a pas regagné Londres à dessein. Ici, elle aurait retrouvé des souvenirs, un décor qui lui est familier, la chambre qu'elle a partagée avec Torking... et c'est à cela qu'elle souhaite échapper, c'est cela qu'elle a voulu fuir! Il est difficile de rompre avec le passé, quand ce passé est trop proche encore.

Il s'avança vers Guy.

— Plaignons-la, puisque nous ne pouvons pas la secourir. Ç'est contre elle-même qu'elle lutte. Et, si elle triomphe, elle viendra vers vous... pour ne plus vous quitter !

— Saura-t-elle triompher, Jonathan ? Réussira-t-elle à se libérer de ses chaînes ?

Fair haussa les épaules.

— Laissez faire le destin !

Changeant de ton, il ajouta :

— La chance va-t-elle me sourire, ce soir ? A tout hasard, j'ai glissé dans ma poche quelques billets de banque. J'ai envie de les jouer. Qu'en pensez-vous ?

Ils sortirent de la pièce.

Une heure plus tard, Guy de la Maulière quittait le « Cambridge » afin de regagner le petit hôtel particulier que lui louait un de ses amis anglais. Il fut étonné en apercevant de la lumière dans le vestibule. Et plus surpris encore lorsque son domestique lui annonça qu'il avait reçu la visite d'une dame.

— Cette dame a refusé de me dire son nom et pourquoi elle était venue.

Intrigué, inquiet malgré lui, Guy s'engagea dans l'escalier. Dans sa chambre, il marcha vers la fenêtre, l'ouvrit toute grande.

Comment pouvait-il deviner que la dame qui avait refusé de révéler son nom était Gwendoline Hoggins, la mère de Flower Norstone ?

CHAPITRE XXIII

Ce fut sur le bord d'une route que Anthony de Torking fit la connaissance de Oswald Dougall. L'homme, un blanc, était étendu près d'un fossé et paraissait avoir perdu connaissance. En réalité, il avait bu du rhum à profusion et le cheval qu'il montait s'étant emballé subitement, exécuta des bonds qui l'envoyèrent rouler à terre.

Etourdi par cette chute, incapable de se mettre debout, Oswald Dougall aurait pu rester des heures durant dans ce coin désert, proche d'un bois infesté de serpents.

Un hasard étrange voulut que Torking emprunte justement cette route, que même les noirs évitaient. Ne racontait-on pas que les sangliers hantaient les forêts avoisinantes et que des oiseaux à la taille gigantesque, au plumage jaune et pourpre, s'attaquaient eux aussi aux humains ?

En distinguant une forme allongée sur le sol, Anthony descendit du cabriolet qu'il conduisait tant bien que mal sur des chemins rocailleux. Il aida Dougall à se relever et, le portant presque, le guida vers la voiture. Devina-t-il que ce personnage funambulesque pourrait lui rendre des services inappréciables? Et est-ce pour cette raison qu'il lui demanda où il habitait et lui proposa de le ramener chez lui ? Oswald Dougall le remercia d'une voix pâteuse et, soutenu par Torking, s'installa dans le cabriolet. Après un trajet assez long, les toits d'une dizaine de maisonnettes apparurent enfin à l'horizon. La plus petite de ces habitations appartenait à Dougall. Il y vivait seul. Le jour, il était surveillant dans une plantation de coton. La nuit, il buvait, se mêlant aux noirs, pénétrant sans crainte dans des huttes où, pour lui souhaiter la bienvenue, on lui offrait du « mengo », une sorte de liquide noirâtre à base de rhum et qui incendiait la gorge.

Il était d'origine écossaise. En 1655, sous le protectorat d'Olivier Cromwell, l'île entière fut conquise par les Anglais. Cromwell favorisa les émigrations pour la Jamaïque. Un nombre considérable d'Ecossais et d'Irlandais furent enrôlés à cet effet. L'île était colonisée !

— Monsieur, vous m'avez rendu là un fier service. J'aurais pu crever près de ce fossé comme une bête malade, si vous ne vous étiez pas porté à mon secours.

Il avait placé, sur une table branlante, une bouteille de cognac et deux verres.

— J'aimerais vous remercier, monsieur.

Il était petit, gras, d'une laideur spectaculaire. Une large cicatrice partait de sa tempe gauche et atteignait son menton. Son nez aplati avait dû recevoir un coup brutal au cours d'une rixe. Des cheveux gris et broussailleux encadraient son visage de gnome sardonique.

— Je me présente : Dougall. Oswald Dougall.

— Moi, je suis Anthony Reeves.

Torking avait préféré ne pas révéler son vrai nom.

— Dites-moi ce que je puis faire pour vous prouver ma gratitude ?

Anthony eut un large sourire.

— Mon cher, je ne demande jamais rien en échange de mes bontés.

Dougall le regarda avec plus d'attention, avant de dire :

— Tiens, tiens ! Vous êtes bien le premier. Dans ce pays maudit, on ne rencontre que des rapaces. Alors, vous êtes sûr, absolument sûr que...

— J'ai parlé trop vite. Vous pourriez peut-être me conseiller utilement. Je souhaiterais m'installer pendant quelque temps dans un endroit tranquille, à l'abri des curieux et où nul ne songerait à venir m'importuner et épier mes gestes. Il me faut du repos. Beaucoup de repos. A un point tel, que même mes amis les plus intimes ignorent où je me trouve actuellement. Et je ne voudrais pas qu'ils découvrent l'endroit de ma retraite. Si vous pouviez m'indiquer...

— En somme, vous cherchez... un refuge discret ? L'air de votre pays étant devenu irrespirable pour vous, vous avez voulu offrir à vos poumons celui de nos montagnes.

Sa voix n'était plus pâteuse. Jamais on n'aurait cru que, une heure plus tôt, il avait été désarçonné par son cheval et projeté dans un fossé. Avec une rapidité stupéfiante, il avait recouvré toute sa lucidité.

— D'abord, permettez-moi de vous donner les renseignements qui vous guideront dans votre choix.

Il vida son verre d'un trait.

— Le climat ici est infernal. Les saisons des pluies sont marquées par des ouragans destructeurs. Le long des côtes, il n'y a pas un coin qui soit salubre. Jadis, la fièvre jaune et la peste y ont fait de terribles ravages. Personne... en dehors de la mort... n'aurait l'idée d'aller vous surprendre là-bas. Et à votre âge, on s'accroche à la vie.

Soudain, d'un ton bref, il jeta :

— Vous voyagez seul ?

— Non. Une femme m'accompagne.

— Une courageuse !

Il y eut un silence. Dougall remplit son verre, puis celui de Torking.

— L'île est arrosée par d'innombrables rivières qui descendent des montagnes pour se précipiter vers la mer. La rivière noire est la plus proofnde et elle a le plus fort courant. Pas d'habitations dans les parages.

Il traversa la pièce et, d'un mouvement pesant, s'installa sur une caisse au couvercle mal fermé.

— Dans les vallées, par contre, coulent des ruisseaux et les paysages y sont arrosés par des sources limpides. Là, la mort hésite, elle s'écarte.

Du revers de la main, il essuya les gouttes de cueur qui luisaient sur son front. De petites veines bleutées étaient apparues sur ses tempes.

— A Alfero, à Kingston, à Manoïla, il y a du monde. Un drôle de monde. Or, vous aspirez à la solitude.

Les yeux fixés sur cet étrange personnage, Anthony écoutait.

— Dernièrement, il y a eu du désordre, des bagarres au sein de l'une des plantations placées sous ma surveillance. Il faut que j'aille m'assurer que la discipline règne à nouveau. Cette « tournée d'inspection » me prendra du temps. Les distances qui séparent les plantations les unes des autres étant considérables.

Il se dressa. La ceinture qui cerclait sa taille, semblait couper en deux son ventre énorme.

— Si vous désirez occuper cette maison pendant mon absence...

Leurs regards se croisèrent.

— J'accepte votre offre.

Dougall ne broncha pas. Il se demandait si cet homme, mystérieux et élégant, n'était pas un dangereux aventurier tentant d'échapper aux autorités de son pays.

— Le mobilier est des plus sommaires. Mais la chambre, au bout du corridor, où ma sœur a vécu autrefois, n'est pas trop laide. La... la dame qui vous accompagne saura très certainement la rendre intime. Il y a des rideaux aux fenêtres. Il y a également un lit assez confortable.

Torking se mit à rire. Un rire qui sonnait faux.

— Je n'en espérais pas tant ! Je suis comblé. A partir de quelle heure, demain, cette dame pourra-t-elle s'évertuer à rendre plus intime la chambre de votre sœur ?

— Je compte partir à l'aube.

Ils se séparèrent après cette phrase. Le lendemain, à midi, Flower Norstone franchit le seuil de cette maison qu'ils croyaient être un abri sûr et où le drame les guettait, Anthony et elle !

Une semaine s'écoula. Un matin, succédant à une chaleur torride, un orage d'une extrême puissance éclata soudain. Torking dormait encore. Flower, qui ne s'était pas assoupie un seul instant au cours de la nuit et qui craignait de ne pas pouvoir contrôler ses nerfs, décida de visiter Manoïla. Elle se moquait de ce que penseraient les gens, en la voyant sillonner les routes sans une escorte. Tout, plutôt que de rester cloîtrée dans cette habitation sordide, où elle se sentait comme une prisonnière ! La seule vue de l'étroite pièce où elle était contrainte de vivre éveillait en elle la révolte et le dégoût. Par moments, l'envie la prenait de tout saccager, de détruire ce décor qu'elle haïssait. Combien de temps encore durerait ce cauchemar ? Combien de temps encore Anthony et elle mèneraient-ils cette existence de proscrits ?

D'une démarche saccadée, elle se dirigea vers le cabriolet. Il ne pleuvait plus, depuis une heure déjà.

Nerveusement, Flower cingla l'air de son fouet. Le cheval partit au trot. Ses sabots foulaient un sol devenu spongieux. Des oiseaux avaient surgi de toutes parts et ils survolaient la voiture. Avec leur plumage aux couleurs éclatantes, ils ressemblaient à des fleurs arrachées à leurs tiges et portées par le vent.

Quand Flower atteignit Manoïla, des souffles d'air caressaient les feuilles des palmiers. Mais la chaleur était toujours là, tyrannique, tenace, telle une bête trop fidèle et que l'on ne parvient pas à chasser.

Elle paraissait avoir un corps, des mains brûlantes, une bouche qui crachait du feu.

A Manoïla, la moitié de la population se composait de blancs. Ils exploitaient des plantations de café, de coton, de canne à sucre. Beaucoup d'entre eux exerçaient la profession d'éleveurs, le bétail ne manquant pas dans la région. Il y avait un hôtel, quelques magasins et un relais où, trois fois par semaine, on servait des plats épicés à outrance dans une salle où l'atmosphère était étouffante. On pouvait obtenir également, à des prix forts, du brandy et des flacons d'une boisson virulente ayant le goût du gin.

Flower Norstone, qui était descendue du cabriolet, attira d'emblée tous les regards. Personne ne la connaissait. Et ses vêtements prétentieux, ses airs arrogants suscitaient une curiosité malveillante. Une créature que nul n'accompagnait... une fille, sûrement !

On chuchotait sur son passage. Indifférente, hautaine, Flower poursuivait son avance. Mais, au fond d'elle-même, elle regrettait d'être venue. Torking ne manquerait pas de lui adresser des reproches. Il était décidé à demeurer dans l'ombre... pour l'instant.

Au hasard, Flower emprunta une ruelle. Des marchands ambulants, des noirs, vendaient des fruits, des légumes posés à même le sol. Ils vendaient également des coupons de tissus, des éventails, des bibelots aux formes baroques. Leurs voix glapissantes ressemblaient aux miaulements de chats furieux. Ils criaient, ils s'agitaient, soulevant des nuages de poussière.

Flower s'apprêtait à rebrousser chemin lorsque, soudain, elle s'immobilisa. Ses yeux, qui exprimaient l'épouvante, fixaient une silhouette, au bout de la ruelle. La silhouette d'une femme.

Durant plusieurs secondes, Flower Norstone ne bougea pas. Puis, brusquement, après un dernier regard vers cette femme là-bas, elle prit la fuite ! D'abord, elle courut au hasard. Comme quelqu'un qui aurait le danger à ses trousses. Ensuite, elle chercha à s'orienter. Ce fut la façade de l'hôtel qui la guida vers la bonne voie. Elle monta dans le cabriolet. Ses mains tremblaient. Sa respiration était saccadée. Les cris des marchands ambulants, lointains, assourdis, parvenaient jusqu'à elle. Elle asséna un coup de fouet sur la croupe du cheval. Et elle serra ses mâchoires, pour empêcher ses dents de s'entrechoquer.

— Anthony !

Elle avait ouvert la porte de la chambre. Et, ayant empoigné l'épaule de Torking qui dormait toujours, elle la secouait rudement.

— Anthony, réveille-toi !

Les paupières de l'homme se soulevèrent.

— Que t'arrive-t-il ? D'où viens-tu ?

Elle était échevelée. La peur la rendait méconnaissable.

— J'ai voulu visiter Manoïla. Je ne pensais pas que c'était aussi loin ! Il m'a fallu plus de deux heures pour faire le trajet, sous un soleil d'enfer. Jamais on n'aurait dit qu'il avait plu. Les pavés étaient secs et la poussière prenait à la gorge.

Il se dressa.

— Et c'est parce que les pavés avaient séché si vite que tu as cet air égaré ?

Elle ne parut pas comprendre. Du bout des doigts, elle tapota sa jupe.

— J'ai vu des marchands ambulants. Ils vendaient des bibelots, sculptés dans une espèce de terre rougeâtre.

On avait l'impression qu'elle récitait une leçon, sans approfondir le sens des mots qu'elle prononçait.

— J'ai vu des éventails, des tissus...

Il se taisait. Il devinait qu'elle allait lui annoncer quelque chose de grave, quelque chose qui marquerait leurs deux vies, pour toujours.

— J'ai vu une femme, aussi...

Sa voix se mua en un chuchotement.

— Ta femme... Priscilla de Torking !

Elle avait renversé sa tête en arrière, pour lui offrir cette phrase. Brusquement, les veines de son cou se tendirent, sa bouche se crispa. Et elle éclata en sanglots.

— Flower !

Il la saisit par les poignets.

— Flower, tu deviens folle ! Le climat de cette île t'a fait perdre la raison. La chaleur agit sur tes nerfs, t'empêche de dormir, te mine !

Elle n'écoutait pas.

— Elle se tenait devant la porte d'une maison, tout au bout d'une ruelle. Quand elle s'est retournée, je me suis enfuie !

Il emprisonna avec plus de force les poignets qu'encerclaient ses doigts.

— Tu as vu cette silhouette de dos. Tu n'as même pas aperçu son visage. Et tu prétends que...

— C'était elle, Anthony ! C'était elle !

— Flower, calme-toi, je t'en supplie ! Et essaie de réfléchir. J'ai écrit à Priscilla, pour lui interdire... tu entends, interdire de se mettre en route.

— Elle était déjà sur le bateau, quand ta lettre est

arrivée à Londres. Tu as perdu du temps, Anthony. Cette lettre, tu l'as expédiée trop tard !

Il se retenait pour ne pas l'insulter. Elle l'exaspérait, elle faisait naître des doutes en lui, des craintes. Et il avait besoin de tout son sang-froid pour continuer la lutte et atteindre le but qu'il poursuivait.

— Non, non et non ! Je te répète qu'elle n'a pas quitté Londres. Je lui ai expliqué pourquoi je ne voulais pas qu'elle m'accompagne, ou qu'elle vienne me retrouver trop vite. Elle a compris. Elle m'a approuvé. Jamais elle n'aurait osé me désobéir et contrecarrer mes projets. Cette femme, dans une ruelle de Manoïla n'était pas... ma femme !

Une fois encore, il eut l'impression qu'elle ne l'écoutait pas.

— Anthony, pourquoi restons-nous dans ce pays de malheur ? Tu m'avais promis...

— Tu sais fort bien pourquoi nous restons ici. Je n'ai reçu que la moitié de la somme qui m'est due pour la vente de la plantation. L'autre moitié me sera payée à la fin de ce mois, seulement.

— Attendre ! Toujours attendre !

Elle avait libéré ses poignets et, de ses poings, par petits coups, elle heurtait la poitrine de l'homme.

— Je t'ai suivi, parce que tu m'as juré que nous irions vivre à New York. Tu m'as dépeint ce que serait notre existence là-bas. Une existence dorée, magnifique ! J'ai emporté des toilettes somptueuses, afin que l'on m'admire, que tu sois fier de moi.

Ses poings, devenus plus pesants, continuaient à marteler la poitrine de Torking.

— Tu m'as menti ! A cause de tes mensonges, j'ai déserté Londres, où j'avais des soupirants qui me comblaient de cadeaux. Somerset de Lippendale ne demandait qu'à me courtiser, qu'à satisfaire mes caprices les plus extravagants. Et j'ai renoncé à tout, à tout... pour des chimères !

D'un mouvement brutal, il immobilisa les poings de Flower Norstone.

— Tu savais à quoi tu t'exposais en partant avec moi. Tu aimes les dangers, les intrigues, les trahisons. Tu aimes aussi mes mensonges. Comme tu aimes mes caresses. Tu ne serais pas restée à Londres, Flower ! Tu n'aurais reculé devant rien, pour ne pas être séparée de moi ! Nos deux âmes se ressemblent. Et le démon les habite.

— Tais-toi, Anthony !

Elle s'était écartée de lui.

— Tu ne vois dònc pas... que je commence à te haïr ?

— Qu'attends-tu pour me quitter ? Je n'ai plus besoin de toi. Je retournerai vers Priscilla. Je la prendrai dans mes bras. Et elle pardonnera ! N'est-ce pas là son rôle, de me donner l'absolution... toujours ?

— Tu es un monstre, Torking !

— Aurais-tu suivi un saint ?

Elle baissa la tête.

— Allons, cessons de nous quereller, ma mie. L'avenir est à nous !

Il s'approcha d'elle.

— Jamais tu ne me quitteras, Flower Norstone. Jamais tu n'auras ce courage.

— Comme tu es sûr de toi !

Il l'attira à lui.

— Oublie Manoïla, ma douce. Cette nuit, je te bercerai, pour que tu t'endormes très vite, pour que tu ne fasses pas de cauchemars, pour que tu demeures blottie contre moi.

Immobile, comme envoûtée, elle avait fermé les yeux afin de mieux écouter cette voix aux accents alanguis et qui la berçaient déjà...

CHAPITRE XXIV

Guy de la Maulière reçut dans la bibliothèque la « dame qui ne voulait pas dire son nom » et qui était venue une fois encore sonner à sa porte.

— Asseyez-vous, je vous prie, madame. Lors de votre précédente visite, je ne me trouvais pas là pour vous accueillir. J'ignore donc à qui j'ai le plaisir de parler aujourd'hui.

Elle s'installa dans un fauteuil. Après une brève hésitation, elle posa son ombrelle sur ses genoux.

— Je m'appelle Gwendoline Hoggins.

Très vite, elle ajouta :

— Je suis la mère de Flower Norstone.

Il ne broncha pas. Il se doutait que, tôt ou tard, il rencontrerait cette femme.

— Je pense, monsieur, que vous vous attendiez à me voir chez vous, un jour. Vous êtes un ami de Priscilla de Torking. Et le duc est...

Elle hésita, avant de murmurer :

— Est l'amant de ma fille.

Il ne s'était pas assis. Il se tenait près de la cheminée. Chose étrange, mais il n'éprouvait aucune pitié pour cette créature ambitieuse, calculatrice... et qui s'était trompée dans ses calculs. Déçue par la vie, vouée à partager l'existence d'un homme qu'elle avait épousé sans amour, elle comptait sur sa fille pour donner une leçon au destin. Ses déboires, ses désirs inassouvis, ses rêves brisés... tout cela, elle l'aurait effacé de sa mémoire si Flower l'avait vengée ! Et Flower l'avait déçue, cruellement !

— Dois-je vous dire la honte et la peine que je ressens en prononçant ces mots ? Dois-je vous dire que j'ai tout tenté pour mettre fin à une liaison que j'ai estimée dangereuse dès le premier jour ? Quand je me suis aperçue que je prêchais dans le désert, quand j'ai voulu agir, il était trop tard déjà ! Afin de ne pas éveiller mes soupçons, car elle était décidée à suivre le duc, en enfer s'il le fallait, Flower m'a menti. Elle a prétendu qu'elle quittait Londres pour aller passer quelques jours dans la propriété d'une comtesse française.

Ses doigts, par moment, effleuraient l'ombrelle posée sur ses genoux.

— Je l'ai crue. Parce que je souhaitais la croire. Mais, dans le secret de mon cœur, je savais que le drame se rapprochait. Un drame imminent, inévitable.

Son ton se fit âpre.

— Un matin, quelques minutes avant le départ de Flower, je me suis introduite dans sa chambre. J'ai ouvert une de ses valises, puis son coffret à bijoux. J'ai pris, afin de les mettre en sûreté, ceux qui étaient les plus précieux. Je n'ignorais pas que Flower me haïrait en découvrant la disparition d'une partie de ses trésors. Et j'avais la certitude absolue qu'elle me remercierait un jour...

— Vous aurait-elle remerciée déjà, madame Hoggins ?

Elle secoua la tête.

— Non. Pas encore. Dans sa dernière lettre, elle me maudissait !

Soudain, d'un ton de conspiratrice, elle chuchota :

— L'homme qui a acheté la plantation de Michaël de Landbridge, un dénomé Steve Lane, a versé à Torking la moitié de la somme seulement. L'autre moitié... le duc ne réussit pas à l'obtenir ! Steve Lane se dérobe sans cesse. Et Torking ne peut pas l'attaquer, il ne peut pas faire appel à un avocat, puisque la signature, sur l'acte de vente, est un faux !

Elle eut un rire, plus triste que des larmes.

— Flower et son amant se cachent quelque part à l'intérieur de l'île. Torking est un joueur. Je suis persuadée qu'il a dilapidé l'argent que lui a rapporté cette vente. Je suis persuadée que, très bientôt, il demandera à Flower une aide financière. Qu'elle lui refusera, si elle n'est pas une folle ! Ses bijoux, en tout cas, il ne pourra pas les lui prendre !

Son rire résonna à nouveau, triomphant cette fois-ci. Puis, son visage s'assombrit.

— J'ai tort de me réjouir. Lui, il ne perdra rien dans cette aventure. La victime, ce sera ma fille ! Il exerce sur elle une emprise malfaisante, destructrice. Songez donc, elle a accepté de tout abandonner pour cet homme... cet homme qui n'est pas libre !

D'une voix très calme, il interrogea :

— Où voulez-vous en venir, madame Hoggins ? M'avez-vous rendu visite pour me réclamer un conseil, ou bien pour me raconter des histoires, que je connais déjà ?

Elle fixait son ombrelle. Brusquement, se décidant à jouer cartes sur table, elle proféra d'un ton rageur :

— A cause de Torking, Flower a éconduit un soupirant très riche : Somerset de Lippendale. Il est prêt à oublier son escapade. Il est assez puissant pour réduire au silence ceux qui s'aviseraient de dénigrer ma fille. Je suis certaine qu'il l'épousera, si elle sait se montrer adroite.

Sans la moindre pudeur, elle dévoilait ses pensées les plus secrètes, les plus mesquines.

— Souhaitons qu'elle sache se montrer adroite, madame Hoggins.

S'aperçut-elle de l'air méprisant de la Maulière, du dégoût qu'elle lui inspirait ?

— Mes propos peuvent vous paraître étranges. Mais je suis une mère, avant tout. Et j'essaie de défendre le bonheur de Flower, de l'arracher aux griffes de Torking !

— Et quels moyens avez-vous l'intention d'employer ?

Ils se regardèrent.

— Il faut que Flower se sépare du duc. Il faut qu'elle regagne l'Angleterre au plus vite. Et seule la femme de Torking, Priscilla...

— En somme, vous désirez que la femme légitime aille supplier son mari de rompre avec sa maîtresse... afin que la dite maîtresse puisse faire un beau mariage ?

Leurs regards étaient enchaînés. La Maulière n'avait pas abandonné sa place près de la cheminée. Ses bras pendaient le long de son corps.

— Qui vous parle supplications ? Le duc ignore la pitié. Il ne s'inclinera que devant des menaces ! Et ce n'est qu'en le menaçant que Priscilla de Torking réussira à le vaincre ! Il a vendu une plantation qui ne lui appartenait pas. Il a fait usage d'un faux. Il risque la prison !

— Et sa complice ?

Elle sourit.

— Priscilla oubliera qu'il y avait une complice. Un scandale n'arrangerait pas les choses. Tout doit se passer... en famille. Et vous êtes un peu de la famille...

n'est-il pas vrai ? Vous souhaitez sûrement mettre un point final à cette très vilaine histoire. Vous êtes un être chevaleresque, un grand seigneur. Vous vous conduirez donc... en grand seigneur !

— Et comment se conduisent les grands seigneurs, dans des cas semblables ?

— Ils ouvrent leur bourse, mon cher. Ils « dédommagent » Steve Lane. Ils deviennent les propriétaires de la plantation... qu'ils s'empressent de restituer à la dame de leurs rêves. Cela s'est déjà produit, je crois ? Torking n'avait-il pas perdu au jeu un domaine situé à Lamphire ?

Elle s'était levée.

— Tout ce que l'on vous demande, c'est un beau geste ! Le duc rentrera au bercail. Et Priscilla, après les tourments que lui a infligés son diable de mari, aura besoin de consolations, la pauvre petite !

Elle s'approcha de lui.

— Vous serez là pour la consoler. N'est-ce pas votre désir le plus cher ?

Il se taisait. Elle était près de lui et il sentait son parfum vulgaire, violent.

— Le règne d'un confident est souvent moins éphémère que celui d'un mari, ou d'un amant. Vous en êtes la preuve vivante, mon cher comte.

Elle voulut poser sa main sur le bras de Guy. Mais il recula. Il se retenait pour ne pas la frapper. Inconsciente de ce dégoût, de cette haine, elle poursuivit :

— Malheureusement, tous ces magnifiques projets ne seront réalisables que le jour où on découvrira où se dissimule Priscilla. Vous vous chargerez de ce soin. Vous devez avoir hâte de la retrouver, de la savoir saine et sauve.

Doucereuse, envahissante, narquoise tour à tour, elle essayait maladroitement de cacher l'inquiétude qui la tenaillait. Car elle était inquiète. Elle se demandait si elle n'avait pas trop « poussé » son rôle, si elle n'avait pas forcé la note. La Maulière ne lui donnait pas la réplique. Ou alors, il la lui donnait d'une manière qui la déroutait. Mais il aimait Priscilla, éperdument. A en être ridicule. Et Gwendoline Hoggins basait tous ses espoirs d'intrigante sur cet amour insensé.

Se penchant vers Guy, elle susurra :

— Sans doute avez-vous déjà entrepris des recherches ? Mon Dieu, pourvu qu'il ne lui soit rien arrivé ! Sa mort compliquerait une situation qui est assez tragique déjà.

— Rassurez-vous, madame Hoggins. Je ne suis pas morte !

La porte s'était ouverte avec fracas, livrant passage à Priscilla, duchesse de Torking.

— Je ne suis pas morte et j'ai entendu vos si jolis discours.

En voyant apparaître Priscilla, Gwendoline Hoggins avait poussé un cri strident et, d'un élan sauvage, s'était réfugiée à l'autre bout de la pièce.

— Le comte Guy de la Maulière est, comme vous l'avez dit si justement, un grand seigneur. Surtout, si on le compare à un Torking... ou à une Flower Norstone.

Elle ne s'était pas avancée vers Gwendoline Hoggins. On aurait juré qu'elle répugnait à franchir la distance qui la séparait de cette femme.

— Vous ne vous êtes pas trompée en déclarant que le règne d'un confident était souvent moins éphémère que celui d'un mari. Mais le comte de la Maulière n'a pas été qu'un confident. Il a été l'ami, le conseiller... une présence. Il m'a fallu des semaines, des mois, pour comprendre que cette présence m'était indispensable... pour vivre, pour souhaiter vivre, malgré tout !

Le souffle saccadé de Gwendoline résonnait dans la pièce. Elle avait appuyé ses mains sur sa poitrine.

— J'ignore si le duc a l'intention de rentrer au bercail. Je ne tenterai rien, ni pour l'encourager, ni pour l'obliger à le faire.

Priscilla avait maigri. Ses yeux, immenses, semblaient refléter toute la détresse du monde. Jamais elle ne fut aussi belle !

— Pendant des jours et des jours, j'ai erré à travers la Jamaïque. Seule.

Elle détacha ce mot. Lourdement, dramatiquement.

— J'avais besoin de solitude. J'ai réfléchi... réfléchi. Une nuit, j'ai cru que je devenais folle. Je me suis levée, je suis sortie de ma chambre. Dehors, sur la route, tout était désert. J'ai regardé le ciel. Et tout à coup, j'ai chuchoté un prénom. Un prénom d'homme. Et qui n'était pas celui de mon mari !

Elle ne s'approchait pas de Gwendoline Hoggins. Pas une fois, elle ne s'était tournée vers Guy.

— Depuis, ce prénom je l'ai répété quand je me sentais triste, ou prête à renoncer au combat.

Silencieuse, comme recroquevillée sur elle-même, la mère de Florence n'osait pas esquisser un geste.

— Vous êtes là à m'écouter, Gwendoline Hoggins. Et je vous révèle des choses que d'habitude on ne révèle qu'à ses parents, ou à ses intimes. Vous avez dit à la Maulière qu'il était un peu de la famille. Ne l'êtes-vous pas devenue, vous aussi... de la famille ? Vous connaissez nos secrets. Ils n'ont rien de glorieux.

— Qu'allez-vous faire, à présent ? J'ai le droit de savoir ! Porterez-vous plainte contre ma fille ?

Gwendoline s'était ressaisie. Elle avait la certitude absolue que Priscilla mentait, en prétendant que Torking n'existait plus pour elle. La vie serait trop simple, si on pouvait oublier sur commande, aimer sur commande... Et Torking n'était pas de ceux que l'on oublie ! Il avait « marqué » Priscilla. Et sur un ordre de lui, elle déposerait ses armes aussitôt.

— Je ne porterai pas plainte, madame Hoggins. Ni contre Flower Norstone, ni contre son amant.

— Je ne vous crois pas ! Vous essaierez de vous venger.

— En effet. Je vais me venger, madame Hoggins.

— Qu'avez-vous décidé ? Et quelle sera cette vengeance ?

— Elle sera cruelle !

D'une voix morte, Gwendoline interrogea :

— La prison ?

— Non, madame Hoggins !

— Alors, que ferez-vous ?

— Je laisserai Flower Norstone... entre les griffes du duc de Torking. Elle souffrira, comme j'ai souffert.

CHAPITRE XXV

Jonathan de Fair s'adonnait à la peinture. Ce géant, que l'on imaginait brossant des fresques, préférait représenter des visages d'enfants. Tout ce qui était frêle, inachevé, spontané, l'attirait irrésistiblement. Ses modèles, il les découvrait dans les quartiers populeux de Londres. Pour ces pèlerinages, qu'il effectuait à pied, il s'habillait modestement. A quoi bon attirer l'attention et effaroucher des âmes simples ? Quand il avait fixé son choix, il rentrait chez lui et s'installait devant son chevalet. Ses méthodes étaient assez curieuses, car il travaillait de mémoire. Et il obtenait des résultats stupéfiants ! Le portrait qu'il avait fait d'une petite bohémienne suscitait l'admiration de tous ceux qui le contemplaient. Fair l'avait surprise en train de mendier. Il l'observa longuement, il lui parla, il mit quelques pièces de monnaie dans le creux de sa main qui semblait hâlée par un éternel soleil.

Elle accepta de chantonner une vieille romance. Son regard, par moments, rappelait celui de Priscilla de Torking.

Ce matin-là, Fair pénétra de bonne heure dans son atelier. La veille, il s'était aventuré dans des rues peuplées de pauvres. En apercevant un groupe d'enfants, devant une porte délabrée, il s'immobilisa. Et il héla un gamin aux cheveux de fille, aux vêtements en lambeaux. Il lui posa des questions, écouta le son de sa voix, demanda à connaître sa mère. Quand il repartit enfin, après avoir laissé un billet de banque sur la table branlante, il se sentait heureux. Ne venait-il pas de trouver l'inspiration, dans ce logis où s'entassait une humanité sordide et sublime en même temps ?

— My lord, une dame est là. Dois-je la faire entrer dans le salon ?

Son pinceau entre les doigts, Jonathan se tourna vers son valet.

— Pourquoi ne frappes-tu pas, avant d'entrer ?

— La porte était grande ouverte, my lord.

— Une dame ? Quelle dame ? Comment s'appelle-t-elle ?

— La marquise de Landbridge, my lord.

Jonathan sursauta.

— A cette heure-ci ? Que me veut-elle ? Dis-lui que je ne puis...

Il s'interrompit. Et, se ravisant, marmonna :

— Au diable l'étiquette ! Je la recevrai dans cette pièce.

— Bien, my lord.

S'emparant d'un chiffon, Jonathan essuya ses mains. Ses mouvements tout à coup s'étaient fait nerveux.

— Veuillez me pardonner. D'habitude, j'avertis les personnes que je désire voir, avant de m'introduire chez elles. Mais ma hâte était telle...

Elle n'acheva pas sa phrase. Elle s'était approchée de la toile sur laquelle la petite bohémienne paraissait vivre et chanter.

— J'ignorais que vous possédiez un pareil talent ! Je vous félicite.

Il avança vers elle l'unique chaise de l'atelier.

— A mon tour de vous demander pardon. Je ne

suis guère présentable. Si vous le permettez, je vais aller échanger ces vêtements contre...

— Non ! Ne vous donnez pas cette peine. Ma visite sera brève.

Elle s'installa sur le bord de la chaise et ôta ses gants. Sa robe, son chapeau, ses souliers étaient noirs. Elle semblait plus blonde encore, plus éthérée.

— Nous habitons la même ville et nous ne nous sommes jamais rencontrés. Mais vous avez entendu parler de moi. Et moi, je vous connais de réputation.

Elle attendit. Comme il se taisait, elle reprit, de cette même voix monocorde.

— Je sais également que vous êtes l'ami de Guy de la Maulière et qu'il n'a pas de secrets pour vous.

Elle le regarda longuement.

— Moi, par contre, j'ai des secrets à vous confier. Des secrets graves.

Son ton avait changé. Son expression aussi. Ce fut d'une voix aux accents plus scandés qu'elle poursuivit :

— Je suppose que la Maulière vous a parlé du rôle important que j'ai joué dans l'existence de Priscilla, de la place que j'y ai tenue. Mais tout ce qu'il a pu vous dire ne pouvait être que superficiel et n'atteignait pas le fond du problème. Or, il y avait un problème à résoudre, subtil, compliqué, nuancé à l'infini. J'ai eu ce courage.

Le bas de sa jupe très ample, étalé sur le parquet, formait autour d'elle comme un cercle sombre. Fair remarqua la beauté de ses mains.

— Avant tout, il faut que je vous décrive le personnage central d'une histoire qui, rapidement, s'est muée en un drame. Ce personnage est Priscilla de Torking !

Elle jeta un coup d'œil vers le portrait de l'enfant, empreint d'une poésie primitive et sauvage.

— Victime d'un accident, elle a été condamnée à passer ses journées dans un fauteuil d'infirme. Ce fauteuil, elle ne tentait pas de le quitter. La peur la paralysait. La peur, bien plus que le mal dont elle souffrait. Car ce mal relevait davantage de son cerveau que de son corps. J'ai été la première à m'en apercevoir. Et j'ai compris que ce n'était pas son corps qu'il fallait soigner, mais son cerveau.

Intéressé, désireux de contempler de plus près cette femme, qui jamais encore n'avait livré ses pensées, il s'empara du tabouret placé devant le chevalet et vint s'asseoir près de Flora de Landbridge.

— Dès lors, je me mis à chercher le moyen d'arracher à cette torpeur, à cette espèce de léthargie une créature jeune, belle, et qui s'était transformée en une morte-vivante.

Penché vers elle, dévoré de curiosité, il écoutait.

— Rien n'éveillait plus en elle le moindre écho. Elle ne supportait aucune présence étrangère à ses côtés... en dehors de la mienne. Et lentement, minutieusement, je la guidai vers l'amour. Je savais que jadis, alors qu'elle n'était qu'une adolesçente, elle avait eu une idylle avec la Maulière. Mais d'instinct je sentais que seule une passion brutale, violente comme un ouragan, pouvait la libérer de ses hantises. Et l'image du duc Anthony de Torking surgit soudain devant moi.

D'un mouvement nerveux, elle joignit les mains.

— Il était beau, mystérieux à souhait... presque inquiétant. Mais ce côté inquiétant, je ne le voyais pas. Parce que je devais de la gratitude à cet homme. Parce que, pour moi, il symbolisait la bonté. Plus tard, beaucoup plus tard et quand il était trop tard déjà, je découvris que j'avais introduit chez les Landbridge non pas un héros, mais un aventurier capable de toutes les vilénies.

— Je sais.

Elle tressaillit en entendant ces deux petits mots, si brefs, que Fair avait prononcés d'une voix angoissée.

— Quand Priscilla s'est levée, quand elle a marché, on a crié au miracle. En réalité, c'est à un choc... psychologique qu'elle doit sa guérison. Prise au cœur d'une tempête, elle a réagi, brusquement. Et, fascinée, subjuguée, elle a obéi à l'appel de l'homme qui avait provoqué cette tempête.

Elle baissa les yeux. Et elle chuchota :

— Voilà pourquoi il en a fait sa chose. Voilà pourquoi elle lui a toujours tout pardonné !

Fair s'étonna :

— Où a-t-elle trouvé la force de le fuir ? Elle était « neuve », limpide, quand il lui a enseigné la volupté. Il a transformé en une femme sensuelle et tourmentée, une créature dont les rêves étaient encore ceux d'une gamine. Elle aurait tout sacrifié pour une nuit dans les bras de Torking... et elle l'a quitté ! Je n'arrive pas à comprendre..

— Oui, elle l'a quitté. Aujourd'hui, elle le hait, elle le méprise, elle a honte. Mais il y a demain... et je frémis à l'idée de ce qui se passera, si le duc s'avise de réapparaître un jour !

— Guy de la Maulière sera là pour la protéger.

— A condition qu'elle implore son aide. Et rien ne nous prouve qu'elle demandera du secours.

Fair se dressa et, du pied, repoussa son tabouret. S'étant approché du chevalet, il se saisit de son pinceau, puis l'abandonna. Il ne savait plus ce qu'il faisait Il pensait à Guy. A ce qui attendait Guy, si Torking décidait de revenir à Londres.

— Elle ne va tout de même pas retourner vers cette brute ! Ou alors, elle a perdu toute dignité.

— L'âme d'une femme, Jonathan de Fair.. est un abîme. Surtout lorsque cette femme a connu ce qu'a connu Priscilla. Peut-on lui jeter la pierre ?

— Torking s'est emparé des biens que Michaël de

Landbridge avait légués à sa fille.

Flora se leva.

— Justement, j'allais vous parler de l'héritage du marquis.

Fair détourna la tête d'un air gêné. Pourquoi diable avait-il commis la maladresse d'aborder un sujet aussi délicat ?

— N'ayez pas cette expression affolée, mon cher. Ne vous ai-je pas dit que j'avais des secrets graves à vous révéler ?

— Je vous en prie, ne vous croyez pas obligée de...

— De me justifier ?

Il ne répondit pas. Ses poings énormes étaient serrés.

— J'ai épousé Michaël de Landbridge quelques semaines avant sa mort. Notre mariage a été une entente, une association, une coalition... car nous nous sommes coalisés, le marquis et moi, pour que Torking ne puisse pas dilapider l'immense fortune que Landbridge laissait à sa fille.

Elle marqua une pause.

— Afin que les terres, les domaines, les fermes que possédait Michaël soient sauvegardées, nous avons décidé qu'il m'en ferait don de son vivant. C'est le notaire et ami du marquis qui nous a donné ce conseil. C'est lui encore qui nous a conseillé de nous marier au plus vite. Nous l'avons écouté. Et je lui ai promis de ne pas apprendre la vérité à Priscilla, de ne pas la laisser disposer de toutes ces richesses, tant que le duc de Torking demeurerait une menace !

Elle sourit, avant d'ajouter :

— Voilà l'histoire de ce mariage qui a suscité tant de commentaires et provoqué le départ de Anthony pour la Jamaïque. Vous devinez, je pense, que ce départ, nous le pressentions, nous l'espérions, Michaël et moi. Et c'est à dessein que le marquis n'a pas essayé de préserver la Tahima. Il se doutait que Torking s'empresserait de la vendre, sans consulter Priscilla... et que le drame éclaterait, alors ! Un drame, suivi d'une séparation.

— Vous aviez tout prévu, Flora de Landbridge. Mais l'âme d'une femme étant un abîme...

— Nous sommes à la merci de l'imprévu.

Elle mit ses gants. Tout à coup, sans regarder Fair, elle s'exclama :

— Quand je songe que tout ce que j'ai fait ne servira peut-être à rien, des envies de pleurer s'emparent de moi.

D'une voix très douce, soudain, elle murmura :

— Avez-vous réfléchi que, pour Priscilla, à laquelle je n'ai pas dévoilé mes secrets, je suis une intrigante? Elle ne m'a pas adressé de reproches. Elle ne m'a pas dit que j'avais réussi à gagner la confiance de son père afin de m'emparer de sa fortune. Or, tout cela elle aurait pu me le dire, puisqu'elle ignorait que j'avais agi pour son bien !

Elle haussa les épaules.

— Si elle savait avec quelle impatience je guette l'instant où je pourrai lui rendre les terres, les domaines, les fermes qui lui appartiennent ! Elle m'aimait. Elle est persuadée que je l'ai trahie. Et il m'est impossible de lui crier la vérité... à cause de Torking !

Elle marcha vers Jonathan de Fair.

— Il faudrait qu'il disparaisse. Des êtres comme lui n'ont pas le droit de vivre ! On abat les bêtes qui sont malfaisantes et certains humains sont plus dangereux que ces bêtes. Alors, pourquoi...

Elle s'interrompit. D'un geste las, elle passa sa main sur son front.

— Je dis des choses affreuses. Je vous demande d'oubiler les mots que je viens de prononcer.

Il garda le silence. Ces mots qu'elle lui demandait

d'oublier, il les avait prononcés très souvent. Mais tout bas et pour lui-même.

— Je vous avais promis que ma visite serait brève et j'ai perdu la notion du temps.

Elle s'avança vers le chevalet.

— Vous êtes un peintre de grand talent, Fair. Ce visage d'enfant est bouleversant.

Elle eut un rire, qui se voulait gai.

— Si un jour vous vous décidez à vendre vos toiles, prévenez-moi.

— Je n'ai pas l'intention de me séparer de mes œuvres. Mais ce tableau qui vous plaît tant est à vous.

— Je ne refuse pas. Et je vous remercie.

Resté seul, Jonathan ne se remit pas au travail. L'inspiration l'avait quitté. Et puis, il se sentait inquiet. Il avait la certitude absolue que le duc tenterait de reconquérir sa femme. Et il songeait avec épouvante aux souffrances qui guettaient Guy de la Maulière, si Priscilla capitulait une fois de plus !

CHAPITRE XXVII

Ce furent les chants résonnant dans la nuit qui guidèrent Anthony de Torking. Il s'était égaré, à plusieurs reprises. Ces cabanes, ces huttes se ressemblaient toutes. Rien ne permettait de distinguer un sentier d'un autre sentier, une clairière de la clairire voisine. Partout, c'était la même végétation. Et la lune paraissait éclairer le même paysage toujours, répété à l'infini.

— Satané pays ! On risque d'être égorgé à chaque instant !

Des lumières clignotaient à l'intérieur de certaines huttes. Une odeur de cire fondue, d'huile rance flottait dans l'atmosphère. Et aussi une odeur de tabac et de « hanaï » mélangés. Le « hanaï » était une herbe que les noirs allaient cueillir sur les flancs des collines. Elle dégageait une senteur poivrée d'aromates. Pilée, séchée, elle était mêlée aux feuilles de tabac. Seules les collines proches de la Tahima fournissaient cette herbe. Dans le reste de l'île, on ignorait son existence.

Après une imperceptible hésitation, Anthony se dirigea vers une maisonnette, que cerclait une haie de buissons épineux.

Personne n'aurait reconnu Torking, le dandy, en contemplant cet homme au visage hâlé par le soleil, aux cheveux descendant bas sur la nuque, à la chemise déboutonnée, aux bottes grises de poussière. Plus que jamais il ressemblait à un pirate ayant sillonné les mers sous un soleil qui tue. Plus d'œillet ornant la boutonnière d'un habit de velours. Plus de foulard de soie, plus de manchettes en dentelles précieuses. Même ses traits avaient changé. Et son regard s'était fait fuyant.

Ayant escaladé la haie de buissons, Torking avança vers la maisonnette et, de son poing, furieusement, asséna des coups contre la porte. Il y eut un remue-ménage, un piétinement, le bruit d'un meuble renversé. Puis une voix enrouée demanda :

— Qui va là ?

— Ouvrez ! J'ai à vous parler.

— Passez votre chemin, à cette heure-ci les honnêtes gens dorment.

Pour toute réponse, Anthony fit trembler la cloison en la heurtant avec le talon de sa botte. Presque aussitôt, il perçut des chuchotements. Alors il cria :

— Ouvrez, Lane ! Ou je mets le feu à votre bicoque !

Enfin, la porte tourna sur ses gonds. Ecartant Steve Lane du coude, le duc pénétra dans une pièce enfumée et malodorante où, en dehors de Lane, il y avait trois hommes, des blancs tous.

— Je suis allé chez vous. Votre femme m'a dit que vous passiez vos soirées dans cette baraque, où vous vous réfugiez, pour échapper à sa surveillance et vider des bouteilles de rhum.

Personne n'avait prononcé un mot. Ils fixaient la cravache que Anthony tenait entre ses doigts.

— Que ces hommes décampent d'ici au plus vite ! Il est inutile qu'ils assistent à notre conversation. Elle n'intéresse que nous.

Un à un, sans attendre un ordre de Lane, ils se dirigèrent vers la porte. L'un d'eux, au passage, rafla le flacon de brandy posé sur la table. C'était un vieux et il titubait.

— A nous deux maintenant, Lane !

Personne n'avait songé à ramasser la chaise qui s'était cassée en tombant. Du pied, Anthony la projeta vers l'autre bout de la pièce. Puis, d'un ton dangereusement calme il proféra :

— Tu me dois de l'argent. Et cet argent, tu vas me le remettre à l'instant même.

Steve Lane, qui avait acheté la plantation, était aussi grand que Torking. Mais il avait un corps où aucun muscle ne saillait et que la chaleur et l'alcool s'étaient chargés de miner. Anthony savait que Lane ne serait pas un adversaire redoutable. Et c'est pour cette raison qu'il se montrait arrogant. Il ne s'attaquait qu'à de plus faibles que lui. Ceux qui étaient capables de lui tenir tête, il les fuyait.

— Depuis des semaines, j'attends ton bon plaisir. Je n'ai reçu qu'une partie de la somme qui m'était due. Et c'est l'autre moitié que je suis venu chercher, ce soir.

Lane demeura impassible. Et Torking, inquiet soudain, se demanda pourquoi cet homme ne manifestait ni peur, ni émoi.

— Tu m'as entendu ?

Lane souriait. Il avait un visage à l'ovale lourd, à la bouche molle, aux paupières fripées, au front criblé de rides. Le bleu de ses prunelles était tellement clair, tellement « translucide » qu'on l'aurait pris pour un aveugle.

— J'ai très bien entendu, my lord. Mais cet argent, je ne le remettrai qu'à la duchesse Priscilla de Torking... la vraie !

Anthony eut la force de demeurer calme.

— Que veux-tu dire ?

— Que la femme qui a signé l'acte de vente... n'est pas la duchesse.

— Tu es fou ! Tu mériterais que j'aplatisse ta sale figure à coups de poing !

Menaçant, Torking s'était avancé vers lui.

— Vous hésiterez à l'aplatir, my lord, lorsque vous vous apercevrez que vous êtes en mon pouvoir.

— Je ne suis pas en ton pouvoir ! Tu me dois de l'argent. Et tu me le donneras !

Il avait empoigné Lane par les épaules.

— Ignoble ivrogne ! Tu essaie de m'intimider. Tu sais pourtant que c'est devant notaire que...

— Le notaire ne connaît pas la duchesse de Torking, la vraie. Il ne l'a jamais vue. Mais moi, j'ai eu ce plaisir.

— Tu mens ! Elle n'est jamais venue ici.

— Ai-je dit qu'elle était venue ici ? C'est moi qui me suis rendu à Londres. Le marquis de Landbridge était déjà malade. Ses médecins lui avaient interdit de voyager. A l'époque, je travaillais pour lui. Il faut des surveillants, dans une plantation.

Torking n'avait pas libéré les épaules de Lane. Leurs deux visages se touchaient presque.

— Les noirs de Tahima ayant fait preuve de rébellion à plusieurs reprises, le marquis était inquiet. Il me convoqua. Et c'est ainsi que j'ai eu l'honneur d'être présenté à sa fille Priscilla.

— Je ne te crois pas ! Elle m'aurait parlé de cette visite.

— Voulez-vous des détails ? Elle est brune. Brune comme le sont les filles de l'Orient.

Il se dégagea. Ses yeux, aux prunelles sans couleur, fixaient Torking.

— Or, la femme qui a signé l'acte de vente et qui portait un chapeau orné d'une voilette, a commis l'imprudence d'enlever son chapeau, en s'installant dans la voiture qui vous avait amenés... vous et elle.

Il s'approcha de la table. Et but au goulot de l'une des bouteilles.

— Ce geste l'a trahie ! Elle est blonde.

Il but de nouveau, longuement. Ensuite, il lança la bouteille vide à toute volée contre le mur. Et il éclata de rire.

— J'aurais pu raconter tout cela au notaire. Je ne l'ai pas fait. Depuis deux ans, je ne travaille plus pour le marquis. Je me suis enrichi... peu importe comment. Et quand j'ai appris que la plantation était à vendre, j'ai posé ma candidature. Je n'espérais pas m'en tirer à aussi bon compte ! Vous remercierez de ma part la dame blonde... qui a voulu à tout prix enlever son chapeau ! Elle devait avoir chaud, cette mignonne.

Il ne riait plus.

— Avouez que j'ai été bon bougre, en ne vous dénonçant pas. Seulement, quand on me harcèle, quand on me menace sans en avoir le droit, je deviens méchant.

Il regardait la cravache de Anthony. Lentement, à reculons, il gagna l'extrémité opposée de la pièce.

— Ne vous avisez pas de me frapper, my lord, vous le regretteriez !

Il fixait toujours la cravache de Anthony.

— Ne vous avisez pas non plus de m'expédier vers l'autre monde. Mon frère, qui est prévenu, s'empressera de tout révéler au gouverneur de l'île.

Torking fit un pas.

— Halte-là, my lord. Désirez-vous vraiment être enfermé dans un cachot ?

— Voleur ! Tu n'es qu'un voleur !

— Tout comme Votre Grâce.

— Espèce de vermine !

Il fit un pas encore.

— Tout doux ! Du calme, mon cher duc. Vous êtes entre mes mains.

Sa voix devint insinuante.

— Vous êtes beau, my lord. Très beau. La duchesse vous pardonnera sûrement.

La colère et la haine pinçaient les narines de Anthony, creusaient ses joues. Il était arrivé en conquérant. Et il devait s'incliner devant un ennemi plus puissant et plus abject encore que lui !

— Partez pour l'Angleterre, my lord. Ici, le climat est malsain, il flétrirait votre beauté. Cette beauté qui a séduit la duchesse. Et qui la séduira encore !

De nouveau, il éclata d'un rire strident.

— Adieu, my lord.

D'un geste brutal, Anthony de Torking ouvrit la porte et se dirigea vers la grille. La route était déserte. Sa cravache sous le bras, il avança à pas rapides. Pour la première fois de sa vie, quelqu'un l'avait vaincu !

En enlevant son chapeau dans la voiture, Flower Norstone était devenue, sans le vouloir, l'alliée de Steve Lane. Un détail... un tout petit détail et qui allait bouleverser plusieurs destins !

Ayant contourné une clairière, Anthony emprunta un chemin qui serpentait entre une double rangée d'arbres grêles.

« Partez pour l'Angleterre, my lord... »

Les mâchoires d'Anthony se crispèrent.

« Le climat, ici, est malsain. Il flétrirait votre beauté... »

D'une voix sourde, Anthony proféra :

— Le bandit ! Le misérable bandit !

Soudain, il prêta l'oreille. Il lui avait semblé entendre un bruit de pas, derrière lui. Il s'immobilisa. Son regard erra longuement. Tout était désert et silencieux. Pourtant, il attendit.

Au bout de quelques secondes seulement, il se décida à poursuivre sa marche. Tout à coup, de nouveau, il s'arrêta. A présent, il en était sûr, on l'escortait furtivement. Et, pour toute arme, il n'avait que sa cravache !

Ce ne pouvait être Steve Lane. Steve Lane avait gagné la bataille, il ne demandait plus rien au sort. Alors, qui ?

D'un élan brutal, Torking quitta le chemin et se précipita vers le bois proche. Là, il se mit à courir. Derrière lui, le piétinement s'était fait plus précis. Il hésita, puis, brusquement, se laissa tomber à terre. Malgré lui, il songeait qu'il avait déjà entendu ce même bruit de pas furtifs, une nuit, à Londres... la nuit où Flora Lansford lui était apparue !

Nerveusement, de ses ongles, il lacérait l'herbe qui l'entourait et qui dégageait une étrange senteur de musc. Son cœur battait très vite. Il voulut se redresser, mais y renonça presque aussitôt. Une silhouette venait de surgir, près d'un bosquet d'arbres. Une femme ! Torking la voyait de dos... Il redoutait un ennemi. Et ce n'était qu'une femme ! Au lieu de sortir de sa cachette, il ne bougea pas. Il fallait d'abord que cette femme se retourne, qu'elle montre son visage.

La femme ne se retourna pas. Mais elle posa sa main sur le tronc de l'un des arbres. Les yeux de Torking exprimèrent la stupeur. Cette main était celle d'une noire !

Il n'eut pas le temps d'esquisser un geste. Ayant relevé le bas de sa jupe, elle avait bondi vers un sentier. Quand Torking se releva, c'était le silence de nouveau. Anthony attendit encore.

Lorsqu'il poussa enfin la porte de la chambre, que Flower haïssait tant, il n'y avait plus personne pour l'accueillir.

Flower Norstone s'était enfuie !

CHAPITRE XXVIII

Le soleil brillait, à Lamphire. Assises sur un banc du parc, Priscilla et Flora de Landbridge s'entretenaient à voix basse. Flora était arrivée ce matin même. Elle devinait que Priscilla souhaitait sa visite. Et Guy de la Maulière, lui ayant demandé de faire cette visite le plus rapidement possible, elle avait donné l'ordre à son cocher d'atteler les chevaux.

Et maintenant, elles parlaient comme des amies qui se retrouvent après une longue et cruelle séparation. Et c'était Flora qui interrogeait, Flora qui voulait savoir.

— Alors, c'est grâce à l'amabilité d'un maître-coq que tu as pu parvenir jusqu'à Alfero ?

Elle la tutoyait. Pour lui prouver sans doute que les liens qui les unissaient l'une à l'autre étaient plus solides encore qu'autrefois.

— Oui. Il m'a procuré une voiture, il a paru s'intéresser à mon sort. Sans lui, j'aurais passé la nuit sur un coin de route.

— Ensuite ?

— Je ne me suis pas attardée à Alfero. J'ai eu de la chance... à chacune de mes haltes, quelqu'un s'est chargé de me guider, de m'aider. Jamais on n'a refusé de me louer une chambre. Et, bien souvent, il fallait que j'insiste pour qu'on accepte mon argent. Et j'étais seule, donc sans défense.

— Pourquoi as-tu erré de ville en ville ? Espérais-tu découvrir où se cachait le duc ?

— Au début, oui. Et puis, je ne l'ai plus cherché. Petit à petit, son souvenir a cessé de me hanter. Et un soir, j'ai compris que je n'étais plus une prisonnière et que la joie, le bonheur existaient. Ce soir-là, j'ai pleuré pour fêter ma délivrance.

— Priscilla...

— Je sais ce que tu vas me dire.

Elles se regardèrent, longuement.

— Priscilla, te sens-tu libre vraiment ? Libre totalement et pour toujours ?

— Oui. Pour toujours !

Flora détourna la tête.

— J'ai tellement peur...

— Que redoutes-tu ? Le pouvoir de Anthony... ou ma faiblesse ?

— Sa fourberie !

— Tu me crois donc si lâche ?

D'une voix très douce, Flora murmura :

— Si tu l'aimes encore...

— L'ai-je aimé ? Par moments, je me demande si c'était moi, cette femme qui guettait ses caresses, admettait ses mensonges et oubliait tout, pardonnait tout quand il la prenait dans ses bras. Lorsque je pense à la veulerie dont j'ai fait preuve, j'essaie de me persuader que ce n'était pas moi qui mendiais ses sourires, qui exécutais ses moindres caprices... Comment une telle passion a-t-elle pu naître en moi ? Comment ai-je pu...

Elle s'interrompit. Soudain, ayant jeté un coup d'œil effrayé vers la grille, elle s'exclama :

— Flora, s'il s'avise de revenir, je lui rendrai coups

pour coups. Il endurera ce que j'ai endré. Il s'apercevra très vite que je ne suis plus son esclave.

Elle continuait à fixer la grille.

— S'il m'attire à lui, s'il caresse mes cheveux, si sa bouche cherche la mienne, je le frapperai au visage, comme je l'ai déjà frappé une fois. Il n'y a plus de place dans ma vie pour le duc Anthony de Torking. Pour moi, il est mort !

— Alors, qu'as-tu à trembler ainsi ? Les morts ne peuvent rien contre les vivants !

— Non, ils ne peuvent rien. Et je ne tremble pas. Tu te trompes.

Elle se leva.

— J'ai eu comme un frisson, parce que des nuages ont recouvert le soleil. Parce que j'ai eu froid, brusquement.

Flora de Landbridge se mit debout, elle aussi.

— Je vais être obligée de te quitter, mon petit. Le trajet qui me sépare de Londres est long. Et je ne me sens pas en sécurité sur les routes, à l'approche de la nuit.

Elle posa sa main sur le bras de Priscilla.

— A bientôt.

— Prie pour moi, Flora.

Flora de Landbridge tressaillit, en entendant ces mots. Mais elle ne dit pas à Priscilla qu'aucune prière au monde ne saurait émouvoir un homme comme Anthony de Torking !

Restée seule, Priscilla avança à pas lents vers la maison. Au lieu de gagner sa chambre, elle se réfugia dans le salon. Là, elle alla se blottir sur le divan. Ses paupières se fermèrent. Des secondes, des minutes s'écoulèrent. Priscilla voulut ouvrir les yeux. Mais le sommeil la prit, brutalement. Et elle sombra dans le néant.

D'autres minutes s'écoulèrent. Soudain, le corps de

Priscilla parut s'animer, son souffle devint plus rapide, ses mains se joignirent sur sa poitrine et elle poussa un soupir... qui ressemblait à un gémissement. Un rêve étrange était venu interrompre sa béatitude. Dans ce rêve, elle paraissait plus âgée. Il faisait noir et elle courait, en traversant un pont. Sous le pont, c'était le miroitement d'une eau verdâtre, secouée de vagues par instants. Priscilla s'approcha du parapet et se pencha. Que désirait-elle voir, au juste ? Et pourquoi éprouvait-elle le besoin de contempler ce fleuve au nom inconnu ? Elle s'écarta du parapet, afin de poursuivre son chemin. Mais quelqu'un la saisit par la taille, la souleva de terre et elle comprit que ce « quelqu'un » était un meurtrier. Elle se retourna. Et elle eut un sursaut affolé en distinguant les traits de l'homme qui tentait de la précipiter dans le fleuve. Cet homme était le duc de Torking !

Dans ce rêve qu'elle faisait, il était plus âgé, lui aussi. Avec une expression effrayante et des doigts aux ongles immenses et recourbés. Elle ne voulait pas mourir. Elle essaya de se dégager, d'échapper à Torking. Mais il était plus fort qu'elle. Alors, se sentant perdue, elle hurla :

— Guy...

Le cri inhumain, déchirant, qu'elle poussa, l'arracha à ce rêve qui la torturait. Ses paupières frémirent. Elle répéta :

— Guy... Guy...

— Je suis là, mon amour.

Elle ouvrit les yeux.

— Guy... c'est toi ! C'est toi ! Si tu savais. Il faut que je te raconte.

Elle tendit vers lui ses mains.

— Tu arrives de Londres ? Je suis heureuse. Je suis si seule, quand tu es loin de moi.

— Comme tu es pâle, mon ange !

Il se pencha vers elle.

— Je venais de pénétrer dans le vestibule, lorsque j'ai entendu ton appel. D'abord, je me suis demandé si c'était bien ta voix. La terreur et la détresse lui donnaient des accents rauques et bouleversants. De qui ,de quoi as-tu eu peur ? Pourquoi m'as-tu appelé à ton secours ?

— J'ai fait un rêve affreux, Guy. Je traversais un pont et, soudain, un homme a surgi devant moi. Cet homme, qui était Torking...

— Chut... ne parle pas de lui.

Il s'assit près d'elle, sur le divan.

— Guy, qu'allons-nous devenir ? Pendant combien de temps encore le bonheur nous sera-t-il interdit ? Nous sommes séparés continuellement. Tu vis à Londres, moi à Lamphire. Et les heures que nous volons au destin sont si brèves... si cruellement brèves !

— Je t'aime, Priscilla. Jamais je ne renoncerai à toi. Ni les séparations, ni les souffrances, ne pourront m'obliger à te quitter. Je te considère comme ma femme...

— Et tu as eu la force de me respecter !

Il l'avait attirée sur sa poitrine.

— Oui. J'ai eu ce courage. Il le fallait, ma douce.

Elle le regarda.

— A cause de lui, n'est-ce pas ? Et parce qu'il est toujours entre nous ?

— C'est à toi que j'ai pensé, Priscilla. A toi et à cette lutte que tu livres contre toi-même...

— J'ai fini de lutter, Guy ! La victoire m'appartient ! Je le sais ! Je le sais ! Tu dois me croire !

Elle s'était levée.

— Flora de Landbridge est persuadée, elle aussi, que Torking continue à me dominer et que son image hante mes nuits. C'est faux, Guy ! Sur mon âme, je te le jure !

Sa voix monta.

— Je ne le hais pas. Car la haine, souvent, est encore une preuve d'amour. Je n'éprouve ni révolte, ni désir de le châtier. Il est devenu une silhouette, dans une foule. Un passant. Un indifférent.

Elle posa ses mains sur les épaules de Guy.

— Tu me crois, n'est-ce pas ? Dis-moi que tu me crois... ce sera ma récompense.

Doucement, de ses lèvres, il caressa les lèvres de la femme. Ce fut elle qui réclama une caresse plus précise. Elle, dont les doigts encerclèrent la nuque de l'homme. Elle, qui gémit :

— Je t'aime...

Lui, pensait à l'autre. A cette menace. Et il tremblait.

Soudain, des coups rapides heurtèrent la porte. Priscilla s'écarta de Guy.

— Entrez !

Elle ne vit que le plateau que lui présentait le domestique. Il y avait une enveloppe, sur ce plateau.

— Une lettre, pour my lady.

Le valet sortit de la pièce. Priscilla décacheta l'enveloppe. Puis elle chuchota :

— Torking m'écrit... pour m'annoncer son retour.

Ses paupières se baissèrent. Et elle ajouta :

— Il me dit qu'il m'aime, qu'il a hâte de me serrer dans ses bras.

Elle ne regardait pas Guy.

— Il sera ici... dans quelques jours.

Brusquement, sans un cri, elle s'affaissa sur le sol.

Quand enfin elle ouvrit les yeux, elle était allongée sur le divan. Le visage angoissé de la Maulière était près du sien. Elle emprisonna entre ses paumes ce visage. Et, d'un ton suppliant, elle murmura :

— A présent, tu ne peux plus repartir pour Londres. Tu ne peux plus me laisser. J'ai trop besoin de toi !

Ils ne parlèrent plus. Ils savaient que ces chocs sourds étaient les battements de leurs cœurs...

CHAPITRE XXIX

Anthony de Torking continuait à habiter la chambre que Flower avait fuie. Ce soir-là, il se trouvait seul dans la maison de Dougall, qui poursuivait sa tournée d'inspection. Traités souvent comme des bêtes, mal nourris, les noirs s'étaient révoltés à plusieurs reprises et des rixes, violentes, avaient éclaté dans deux plantations de coton. Pour calmer ces révoltes, il fallait des hommes ignorant la clémence et la pitié. Dougall, un ivrogne, un aigri, était tout indiqué pour une tâche qui exigeait de la brutalité, du sadisme presque. Jamais, en le contemplant, on n'aurait pu penser qu'il était capable d'une cruauté aussi systématique, aussi tenace. Car les châtiments, il les infligeait... avec le sourire. Un sourire bon enfant de maître sermonnant ses élèves. Chaque jour, il inventait des punitions nouvelles. Et, toujours avec le sourire, il convoquait les coupables.

Pour quelle raison, lui qui ne songeait qu'à nuire, avait-il offert l'hospitalité à Anthony et à Flower ? Mystère ! Peut-être parce que Anthony lui était apparu sur une route déserte et où personne ne serait venu le secourir. Peut-être parce que Torking était beau, qu'il arrivait de Londres... Londres qui, pour Dougall symbolisait un rêve inaccessible. Il ne posa pas de questions au duc. Dès la première minute, il avait compris que ce dandy élégant, à la mine hautaine, n'était qu'un aventurier. Et jamais encore Dougall n'avait approché un aristocrate, doublé d'un aventurier, sans doute dangereux.

Afin de ne pas gêner Anthony et sa compagne, Dougall ne s'était pas hâté d'abréger son voyage. Comment pouvait-il soupçonner qu'en agissant ainsi, il favorisait les plans... d'une femme ? Une femme qui était demeurée dans l'ombre jusqu'à présent. Parce qu'elle guettait son heure !

Les mouvements du duc, tandis qu'il faisait ses valises, n'étaient empreints d'aucune nervosité. Il avait écrit une lettre à Priscilla. Quelques mots, pour lui annoncer son retour imminent. Les explications, l'attendrissement, le pardon qu'il était sûr d'obtenir, tout cela viendrait plus tard. Cette scène, il l'avait préparée avec soin. Elle se déroulerait donc automatiquement, comme prévu.

Tout en vidant tiroirs et placards, il songeait à l'accueil que lui réserverait Priscilla. Il ne se sentait nullement inquiet. Bien sûr, il s'attendait à des reproches. Mais ses réponses étaient prêtes. Flower Norstone, cette petite écervelée, amoureuse de lui à perdre la raison, l'avait suivi, sans l'avertir qu'elle voyagerait sur le même bateau. Ils se trouvaient en pleine mer, lorsqu'il l'aperçut dans la foule des passagers. Il laissa éclater sa colère. A Tahima, il tenta de se débarrasser d'elle. Mais elle avait quitté Londres précipitamment, sans emporter d'argent. Et elle n'osait pas regagner l'Angleterre, car elle redoutait la fureur de Gwendoline Hoggins.

Il lui conseilla de partir pour New York et d'y séjourner pendant quelque temps. Mais une telle traversée impliquait des dépenses considérables. Ne possédant pas d'argent lui non plus, il se décida, après des hésitations dramatiques, à mettre en vente la plantation. Que n'aurait-il fait pour être délivré de Flower Norstone ?

Il y avait un obstacle, pourtant. Seule la duchesse de Torking pouvait signer l'acte de vente. Affolé à l'idée que Flower renoncerait à déserter Tahima, il lui demanda de signer le contrat. A aucun moment, il ne pensa que l'homme qui achetait la plantation était un escroc ! Cet escroc, Steve Lane, eut recours à un chantage.

— Mon ange, jamais tu ne sauras le supplice que j'a iendurć, les heures atroces que j'ai vécues... à cause de cette fille, de cette Flower Norstone ! Mais tu comprends, n'est-ce pas, que c'était là le seul moyen de l'éloigner de moi ?

Ce discours, Anthony le débiterait d'une voix alourdie de sanglots. Toutes les phrases, d'ailleurs, qu'il se proposait d'offrir à Priscilla, devaient être dites d'un ton bouleversé et ponctuées de baisers et de soupirs.

— Si tu avais vu le décor sordide, où j'ai passé mes nuits et mes journées. Dans la maison d'un ivrogne, que j'avais découvert un soir, près d'un fossé!

Serrée contre lui, Priscilla l'écouterait. Comme elle l'avait écouté, toujours. Ensuite, il l'entraînerait vers le lit...

— Tu m'as pardonné, n'est-ce pas, ma colombe ? Je ne suis pas coupable. Je veux que tu l'admettes.

Consentante, vaincue, Priscilla accepterait ses caresses, en réclamerait d'autres et d'autres encore !

Tout en allant et venant dans la chambre étroite, Torking vivait cette scène. Soudain, il éclata de rire. Pauvre Priscilla ! D'un mouvement nonchalant, il alluma une cigarette.

Et ce fut alors que des coups rapides ébranlèrent la porte. Il eut un sursaut. Dougall ? Déjà ?

On frappa de nouveau, avec plus d'insistance. Après une brève attente, il traversa la pièce et ouvrit la porte, toute grande. Presque aussitôt, il recula.

Une femme se tenait sur le seuil. Cette femme était Tina, la domestique noire de Flower Norstone ! Elle entra dans la chambre et, sans bruit, referma la porte.

— Depuis des semaines, je vous cherche partout, my lord. J'ai parcouru en vain des villages et des villes. J'allais renoncer à mes recherches lorsque je vous ai aperçu un soir, sur une route.

Elle s'était adossée contre la porte.

— Vous avez pris peur, en entendant derrière vous un bruit de pas. Vous vous êtes enfui ! Mais je vous ai suivi.

Il la fixait avec stupeur. Il se demandait ce qu'elle lui voulait.

— Pourquoi as-tu quitté Londres ? Qui t'a amenée dans ce pays ?

— La duchesse Priscilla de Torking. Votre femme, my lord.

Il eut un mouvement de recul épouvanté.

— Vous ignoriez qu'elle était venue à Tahima ?

Elle s'était avancée vers lui. Ses yeux luisaient.

— Elle n'est pas venue seule. J'ai voyagé avec elle. Sous un faux nom !

Elle sourit. Un turban de couleur pourpre emprisonnait sa tête. Sa robe, pourpre également, moulait ses formes de guerrière antique. Devinant qu'un danger affreux le menaçait, inquiet tout à coup, il s'exclama :

— Pourquoi a-t-elle accepté de te prendre à son service ? Elle ne te connaissait pas !

— J'ai remplacé auprès d'elle sa femme de chambre tombée malade subitement. Je lui ai menti, en prétendant qu'une de ses amies m'avait remis une lettre de recommandation. J'ai menti encore, en déclarant que je m'appelais Hannah Ryan. Et elle n'a pas songé à vérifier mes dires.

Le sourire de Tina avait disparu. Ses lèvres, aux contours d'un mauve plus soutenu, étaient crispées. Elle avança un peu plus.

— Vous ne me demandez pas pourquoi je vous ai cherché partout, my lord ?

Il ne répondit pas. Il refusait de s'avouer que ses mains tremblaient.

— Dois-je vous expliquer pourquoi je suis venue dans cette maison ?

Elle était près de lui.

— Un soir, à Londres, profitant de l'absence de Flower Norstone, vous vous êtes introduit dans le boudoir... où j'étais seule !

Il se taisait. Qu'allait-il faire d'elle ? Il ne s'attendait pas à un tel obstacle sur sa route. Et il savait qu'aucune force au monde ne l'empêcherait de supprimer cet obstacle !

— Vous m'avez attirée sur votre poitrine, my lord. Vous m'avez renversée sur le divan. Je me suis débattue, je vous ai griffé, j'ai lutté... Mais pour vous, je n'étais qu'une bête. Et vous m'avez traitée comme on traite une bête !

— Tu dois être habituée à être traitée de la sorte.

— Non, my lord. Jamais un homme ne m'avait possédée. Vous étiez le premier. Et vous le savez !

Elle se pencha vers lui.

— J'ai dit à la duchesse de Torking qu'elle ne regrettera pas de m'avoir emmenée avec elle. Qu'elle remerciera le ciel, un jour...

Il voulut l'empoigner par l'épaule. Elle ne lui en laissa pas le temps. Un coup de feu claqua.

Sans bruit, Tina, la fille noire, sortit de la pièce. Cet homme, qui avait meurtri son corps et son cœur... elle venait de l'atteindre en plein cœur, elle aussi !

FIN

Imprimé au Canada